ÉTUDES BIBLIQUES

LA DATE DE LA CÈNE

CALENDRIER BIBLIQUE
ET LITURGIE CHRÉTIENNE

PAR

A. JAUBERT

Agrégée de l'Université - Assistante à la Sorbonne

J. Gabalda et Cie, Éditeurs

LA DATE DE LA CÈNE

CALENDRIER BIBLIQUE
ET LITURGIE CHRÉTIENNE

Κατὰ καιρόν
(*Rom.*, **5**, 6)

NIHIL OBSTAT

Lutetiae Parisiorum.
die 11ᵃ Januarii 1957.
H. CAZELLES

IMPRIMATUR

Lutetiae Parisi orum
die 15ᵃ Januarii 1957.
P. GIRARD
v. g.

ÉTUDES BIBLIQUES

LA DATE DE LA CÈNE

CALENDRIER BIBLIQUE
ET LITURGIE CHRÉTIENNE

PAR

Annie Jaubert

Agrégée de l'Université - Assistante à la Sorbonne

PARIS

LIBRAIRIE LECOFFRE

J. GABALDA et Cie, Éditeurs

RUE BONAPARTE, 90

—

1957

TABLE DES MATIÈRES

TABLE DES SIGLES

AVANT-PROPOS

La date de la Cène est liée au problème du jour de la mort de Jésus, question qui préoccupe les exégètes depuis la fin du second siècle. Il en est proposé ici une solution nouvelle qui fait appel à un calendrier juif ancien, récemment découvert, et à une tradition patristique orientale qui se trouve brusquement éclairée par ce nouveau calendrier.

Le plan de cette étude s'imposait de lui-même. Réunir d'abord les éléments qui amènent à reconstituer le calendrier ancien; rechercher son origine et son histoire; en dépister les prolongements, si importants, dans la liturgie chrétienne — base indispensable pour établir de façon ferme le cadre rituel dans lequel s'insère la tradition chrétienne d'une Cène au mardi soir. Cette tradition nous retiendra à son tour : extension, milieu d'origine, tentatives d'explication. En dernier lieu seulement seront abordés les documents évangéliques pour éprouver dans quelle mesure la nouvelle hypothèse respecte les exigences internes des textes, répond à leurs requêtes, en augmente l'intelligibilité et la cohérence.

Cette enquête, on le voit, oblige à pénétrer dans des secteurs divers, de l'Ancien Testament au Nouveau Testament et à la Patristique, du judaïsme ancien au judaïsme rabbinique, sans parler des connaissances de calendrier ou des compétences linguistiques requises dans le domaine étendu des langues orientales anciennes. C'est pourquoi ce petit livre voudrait être avant tout une invitation à la recherche. Les incidences des problèmes soulevés sont si nombreuses, parfois si importantes, qu'il faut que chaque spécialiste, sur son propre terrain, éprouve la solidité de l'hypothèse et réponde aux nouveaux points d'interrogation qui se posent à chaque pas de cette étude. Pour rendre la tâche plus aisée, il a paru bon de réunir ici la documentation déjà fournie dans trois articles (1), en y ajoutant des données et aperçus nouveaux. Des excursus sur des points qui auraient nui à la clarté ou entravé la marche du développement ont été rejetés en appendice.

Cet ouvrage doit beaucoup à la sympathie et aux encouragements de plusieurs spécialistes. J'éprouve quelque confusion à ne pouvoir les nommer tous ici. On me permettra pourtant d'adresser mes remerciements à M. H. Ch. Puech, professeur au Collège de France, et d'exprimer tout spécialement ma reconnaissance à M. H. I. Marrou, professeur à la Sorbonne, sans lequel ces recherches n'auraient jamais été entreprises.

---

(1) A. Jaubert, « Le calendrier des Jubilés et de la secte de Qumrân. Ses origines bibliques », *V. T.* III (1953), p. 250-264. « La date de la dernière Cène », *R. H. R.* CXLVI (1954), p. 140-173. « Le calendrier des Jubilés et les jours liturgiques de la semaine », *V. T.* VII (1957), p. 35-61. Certaines pages de ces articles ont été textuellement reproduites avec l'aimable permission des éditeurs : Presses Universitaires, Paris (*R. H. R.*) et Brill, Leyde (*V. T.*).

PREMIÈRE PARTIE

UN CALENDRIER JUIF ANCIEN

CHAPITRE I

LE CALENDRIER DES JUBILÉS

L'ouvrage essentiel qui a permis la redécouverte d'un calendrier juif ancien est *le livre des Jubilés* (1). Cet apocryphe, antérieur à l'ère chrétienne, reprend les traditions du livre biblique de la Genèse en les amplifiant, en les accommodant, en les transformant, suivant des préoccupations qui révèlent la mentalité du milieu d'origine. C'est un ouvrage pour nous extrêmement précieux, tant par son étendue que par la variété des sujets qu'il aborde. Cette nouvelle édition de la Genèse est une véritable somme, qui amalgame des traditions diverses, des fragments

(1) Nous ne possédons les *Jubilés* qu'en double traduction. Les fragments retrouvés à Qumrân confirment la thèse, déjà solidement appuyée, de l'original hébreu. Il reste une version éthiopienne et une version latine fragmentaire, toutes deux faites sur la traduction grecque de l'original hébreu. Texte éthiopien : CHARLES, *The ethiopic version of the hebrew book of Jubilees*, Oxford, 1895; traduction anglaise : CHARLES, *The book of Jubilees*, Londres, 1902, et *Apocrypha and Pseudepigrapha of the O. T.*, t. II, Oxford, 1913; allemande : LITTMANN dans KAUTZSCH, *Die Apocryphen und Pseudepigraphen des A. T.*, Tubingue, 1900 et 1921, t. II. Texte latin : CHARLES, *ibid.*; RÖNSCH, *Das Buch der Jubiläen*, Leipzig, 1874. Voir renseignements sur fragments grecs et syriaques, plus bibliographie dans *D. B. S.*, t. I, 377-380.

épiques, des morceaux de rituel, des récits hagga-
diques, le tout unifié par une chronologie rigoureuse
qui charpente le livre et se fonde sur les semaines
d'années et jubilés. Il est difficile de dater cet ensemble; mais si l'on entend par date la période où
l'œuvre a été constituée dans son état actuel, il
paraît raisonnable de proposer les dernières décades
du second siècle av. J.-C. (Appendice I).

Ce livre a attiré l'attention par ses affinités internes,
aisément décelables, avec les documents de la secte
de Qumrân. Une étude attentive des Jubilés suffisait
pourtant, à elle seule, pour retrouver une clé d'interprétation du calendrier propre à cet ouvrage; mais
c'est l'élan des nouvelles découvertes qui a stimulé
la recherche et les comparaisons. Dès le début des
trouvailles, on signalait des fragments du livre
des Jubilés. Depuis, le nombre des manuscrits représentés a considérablement augmenté (1), signe de
l'importance manifeste que tenait dans la secte le
livre des Jubilés. Mais bien avant les découvertes
du désert de Juda, un document qui s'est révélé apparenté au milieu de Qumrân, l'*Écrit de Damas*, procla-
mait que quiconque voulait retourner à la loi de Moïse
et se soumettre à ses prescriptions devait observer
le « livre de la division des temps » (*CDC* XVI 1-5).
Avec des accents proches du livre des Jubilés, il
déclarait que tout Israël était tombé dans l'aveugle-
ment; seuls, les membres de la secte défendaient le
calendrier authentique. A ceux-là seulement qui
avaient gardé ses commandements, Dieu avait révélé
ses sabbats sacrés, ses fêtes glorieuses (*CDC* III
13-15). Il fallait garder le jour du sabbat selon sa

(1) Cf. *R. B.* LXIII (1956), p. 54, 60.

stricte observance, les fêtes et les jours de jeûne selon le comput des membres de la Nouvelle Alliance au pays de Damas (*CDC* VI 18-19). A son tour la *Règle de la Communauté* ordonnait de ne pas devancer les moments ni retarder les fêtes (*IQS* I 15-16), et présentait une division des temps singulièrement apparentée à celle des Jubilés (*IQS* X 5-7). La découverte toute récente d'un calendrier liturgique fragmentaire dans le lot de la grotte 4Q identifie définitivement le calendrier des Jubilés à celui de la secte (1).

Les textes qui viennent d'être cités nous introduisent déjà dans une mentalité ancienne où les temps sont sacrés (2). Ils sont sacrés, parce que Dieu les a prescrits dans la Loi de Moïse et, comme tels, ils font partie des commandements de l'Alliance; telle est la doctrine des membres de la secte. Ils sont sacrés également, parce que quiconque entre en conflit avec le calendrier se met en contradiction avec l'harmonie des cieux, avec le cours des astres réglé par les anges, avec les assemblées célestes qui observent, elles aussi, les fêtes d'une liturgie commune aux anges et aux hommes; telle est la conception qui se dégage du livre des Jubilés et de son proche parent, le *Livre des Luminaires d'Hénoch*.

Pourquoi en effet tant d'Israélites ont-ils péri et subi la captivité des pays étrangers?

(1) D'après la communication de M. Milik au congrès de *V. T.* (Strasbourg), le 28 août 1956. Voir *Supplements to V. T.*, IV, Leyde, 1957, p. 24-26.

(2) Sur le caractère sacré de ce calendrier, cf. A. DUPONT-SOMMER, « Contribution à l'exégèse du Manuel de Discipline X 1-8 », *V. T.* II (1952), p. 229-230, et *Nouveaux aperçus sur les Manuscrits de la mer Morte*, Paris, 1953, p. 145-146.

« Parce qu'ils ont oublié mes ordonnances et mes commandements et les fêtes de mon alliance et mes sabbats » (Jub. **1**, 10; cf. Jub. **1**, 14).

Pourquoi ces luttes fratricides entre membres du peuple saint ?

« Parce qu'ils ont oublié commandements, alliance, fêtes, mois, sabbats, jubilés... » (Jub. **23**, 19).

Depuis la création, le septième jour, Dieu garde le sabbat dans le ciel avec les anges les plus élevés en dignité (Jub. **2**, 17-18). Depuis le jour de la création jusqu'aux jours de Noé, la fête des Semaines a été célébrée dans le ciel (Jub. **6**, 18). Les révolutions des astres qui président au calendrier se poursuivent avec un rythme admirable « selon le nombre des anges, et ils se gardent fidélité l'un à l'autre » (1).

On comprend que le vénérable Hénoch, qui

« apprit l'écriture, la connaissance et la sagesse, ait inscrit dans un livre les signes célestes (du zodiaque) selon l'ordre de leurs mois, afin de faire connaître aux hommes les jours de l'année, l'ordonnance des mois et les sabbats d'années » (Jub. **4**, 17-18).

Heureux les justes qu'Hénoch a initiés dans les secrets des cieux,

« heureux ceux qui marchent dans la voie de la justice et qui ne pèchent pas comme les pécheurs dans le calcul de tous leurs jours » (I Hén. **82**, 4);

---

(1) I Hén. **43**, 2. Cf. Jub. **2**, 2 où les anges sont préposés aux « esprits » de toutes créatures, y compris « le froid, le chaud, le printemps, l'été, l'automne et l'hiver ». On connaît les rapports étroits des astres et des anges dans l'antiquité; cf. Job **38**, 7 : « Quand les astres du matin chantaient en chœur et que tous les fils de Dieu poussaient des cris d'allégresse. »

heureux ceux qui « prêtent l'oreille pour apprendre cette sagesse » (I Hén. **82**, 3), cette sagesse que le Seigneur a inscrite à jamais sur les tablettes du ciel (1).

Ces révélations sur les secrets des cieux, Hénoch les avait confiées — avec d'autres préceptes — à son fils Mathusalem; Mathusalem les avait léguées à Lamech, Lamech à Noé, et Noé à ses propres fils (Jub. **7**, 38-39). Par Sem, Abraham et Jacob les traditions s'étaient transmises jusqu'à Lévi, le grand dépositaire des secrets des Pères (2). Jacob avait donné

« tous ses livres et les livres de ses pères à Lévi, son fils, afin qu'il pût les préserver et les renouveler (par des copies) pour ses enfants jusqu'à ce jour » (Jub. **45**, 16).

Au bout de la chaîne de transmission se trouve donc *Lévi*. Ainsi, selon le témoignage même des Jubilés, les traditions des Pères avaient été préservées dans un milieu sacerdotal. Tout confirme par ailleurs ce caractère sacerdotal du milieu des Jubilés et de la secte de Qumrân.

En quoi consiste donc le *calendrier sacré* défendu avec acharnement par le livre des Jubilés, en opposition avec l'ensemble du peuple d'Israël qui s'est égaré à la suite des Gentils? On se rappelle que le calendrier juif, conservé encore de nos jours, et que nous appellerons calendrier *officiel* ou légal, parce qu'il était celui des autorités juives au 1er siècle de notre ère, est fondé sur douze mois lunaires de

(1) I Hén. **81**, 2; Jub. **6**, 17. 23. 35.
(2) Jub. **10**, 10-14; **12**, 27; **21**, 10; **25**, 7; **39**, 6; cf. **32**, 21-26.

29 ou 30 jours (le mois lunaire ayant 29 jours 12 h.
44 m.). Ces mois lunaires sont nommés suivant leurs
noms babyloniens : Nisan, Yyyar, Siwan, etc...
Douze mois lunaires, comptés alternativement de
29 ou 30 jours, forment un total de 354 jours; d'où
un décalage de 11 jours 1/4 par rapport à l'année
solaire. Pour combler cet écart, tous les deux ou
trois ans était ajouté un mois supplémentaire au
dernier mois de l'année. Or tel n'est pas du tout le
calendrier que l'ange enseigne à Moïse dans les Jubilés :

« Ordonne aux enfants d'Israël d'observer les années
selon ce comput — 364 jours. Ces jours constitueront une
année complète. Qu'ils n'aillent pas en troubler les jours
et les fêtes... qu'ils n'omettent aucun jour et ne déplacent
aucune fête... S'ils n'observent pas Son commandement,
ils dérangeront toutes leurs saisons et les années seront
déplacées... Et tous les enfants d'Israël oublieront, et
ils ne trouveront plus le chemin des années, et ils oublieront les néoménies et les saisons et les sabbats, et ils
se tromperont dans l'ordonnance des années... La division des jours est ordonnée sur les tablettes du ciel,
de crainte qu'ils n'oublient les fêtes de l'alliance et ne
marchent suivant les fêtes des Gentils, d'après leurs
erreurs et leur ignorance. Car il est des gens qui fonderont
leurs observations sur la lune — or, elle dérange les
saisons et arrive d'année en année dix jours trop tôt.
Ils feront d'un jour abhorré un jour de témoignage,
d'un jour impur un jour de fête, et ils confondront tous
les jours, le saint avec l'impur et l'impur avec le saint;
car ils se tromperont sur les mois, les sabbats, les fêtes
et les jubilés... Après ta mort ils ne feront plus l'année
de 364 jours seulement, et c'est pourquoi ils erreront
sur les néoménies, les saisons, les sabbats et les fêtes
et ils mangeront toutes sortes de sang » (Jub. **6,** 32-38).

Ce texte véhément est fort clair. Mais il faut le compléter par le passage qui précède immédiatement (Jub. **6, 23**-30). L'année doit posséder 364 jours *seulement*, 52 semaines exactement, qui forment l'année *complète* (Jub. **6**, 30). L'année est divisée en quatre saisons de 13 semaines chacune : les premiers jours de chaque saison sont des jours de souvenir (Jub. **6, 23**-29). Il ne fait pas de doute — et ces vues seront confirmées par la suite — que ce comput de 364 jours, exactement divisible par sept, avec quatre saisons de 13 semaines, est destiné à mettre en valeur les jours de la semaine. C'est-à-dire que les fêtes liturgiques tomberont d'année en année *le même jour de la semaine*. C'est là un trait essentiel. D'autre part les mois sont de trente jours (Jub. **5**, 27) et l'année comporte douze mois (Jub. **25, 16**). En opposition avec le calendrier officiel, ces mois sont toujours nommés par leur *numéro*. Il faut ajouter, chaque trimestre, un jour intercalaire pour obtenir les 91 jours ou 13 semaines qui constituent la saison (91 × 4 = 364 jours). Même répartition dans le livre apparenté des *Luminaires* d'Hénoch (1).

Le chiffre de 364 jours est évidemment le chiffre divisible par sept le plus proche de l'année solaire ; c'est pourquoi on peut parler de calendrier solaire à propos du calendrier des Jubilés. Et telle est bien l'intention de l'auteur de se fier au soleil et non à la lune qui arrive « tous les ans dix jours trop tôt » (différence de 364 à 354). Mais si l'écart avec l'année

---

(1) I Hén. **72, 13**-32 ; **82, 10**-18. Le jour intercalaire est le dernier du trimestre ; ceci est parfaitement clair dans les textes de *I Hénoch* et se laisse facilement déduire de Jub. **6**, 23-32 ; voir sur ce point ma réponse à M. Morgenstern dans *V. T.* VII (1957), p. 35-44.

solaire réelle est bien moins important dans le calendrier des Jubilés que dans le calendrier officiel, il existe pourtant, d'un jour et quart chaque année. Au bout d'un jubilé — 49 ans — l'intervalle à combler serait de 61 jours 1/4. Or un tel décalage est impossible dans le système des Jubilés qui tient compte des « signes célestes » (Jub. **4**, 17-18; I Hén. **72**, 13.19), donc des solstices et des équinoxes, et dont les fêtes liturgiques sont fonction des saisons de l'année, ainsi la fête d'offrande de la première gerbe ou celle des prémices de la moisson (fête des Semaines). Sur les intercalations de ce calendrier nous sommes réduits à des conjectures. La difficulté n'est pas encore résolue (1).

Cependant un autre problème, autrement épineux, se posait jusqu'à ces dernières années à quiconque abordait l'étude du calendrier des Jubilés, celui de *la date de la fête des Semaines*. Cette fête des Semaines, qui reçut plus tard le nom grec de Pentecôte (Tob. **2**, 1) est appelée aussi dans le Pentateuque fête de la moisson ou fête des premiers fruits (2). Elle tient une grande place dans le Livre des Jubilés : c'est en effet la fête de la rénovation annuelle de

---

(1) L'année devant toujours commencer le même jour de la semaine, on peut supposer l'intercalation soit de jours blancs, soit plutôt de *semaines* entières, peut-être au moment des sabbats d'années considérés comme des unités de temps. Ces intercalations devaient être possibles entre chacune des quatre saisons de l'année, cf. plus loin, p. 52. Voir aussi les intercalations de 5 semaines en 28 ans dans le cycle solaire de 28 ans (App. II). Le régime des intercalations a pu varier suivant les époques.

(2) Ex. **23**, 16; **34**, 22; Nb. **28**, 26 (Cf. Dt. **16**, 9; Lev. **23**, 10-21).

l'Alliance (Jub. **6,** 17) et il est facile de l'identifier avec celle des sectaires de Qumrân (*IQS* I 16-II 21). Or cette fête d'importance capitale doit tomber — c'est un des points les plus stricts du livre des Jubilés — au milieu du IIIᵉ mois (Jub. **15,** 1; **16,** 12-13) c'est-à-dire le 15 du IIIᵉ mois (1). Comment concilier cette exigence des Jubilés avec la règle du Lévitique : la fête des Semaines se situe 50 jours après l'offrande de la première gerbe qui est balancée « le lendemain du sabbat » (Lév. **23,** 15-16. Cf. Dt. **16,** 9)?

En effet, d'après le calendrier juif officiel, le « sabbat » représente le premier jour des azymes qui était chômé; donc, suivant ce calendrier légal, les 50 jours sont comptés à partir du 16 Nisan (Nisan 30 jours; Iyyar 29 jours) et la fête des Semaines est célébrée le 6 Siwan, date qui peut tomber n'importe quel jour de la semaine. Or, si l'on appliquait les mêmes principes au livre des Jubilés, en partant du 16 du 1ᵉʳ mois (les mois I et II ayant 30 jours chacun), la fête des Semaines se situerait au 5/III, ce qui est en contradiction avec la règle expressément formulée par les Jubilés. Pour que la fête des Semaines ait lieu le 15/III il faut que « le lendemain du sabbat » tombe le 26/I. Mais comment cela est-il possible?

A la vérité, ce « lendemain du sabbat » a toujours fait l'objet de vives contestations. Nous en avons

---

(1) Jub. **44,** 1-8. Ce texte est le seul qui permette de fixer par déduction la date de la fête des Semaines exactement au 15 du mois : « Israël partit... le premier jour du IIIᵉ mois; ... au Puits du Serment, il offrit un sacrifice le 7 du mois... Il resta là 7 jours... *et il célébra la fête de la moisson* des premiers fruits... Et le 16ᵉ jour le Seigneur lui apparut... Et Israël quitta le Puits du Serment le 16ᵉ jour du mois. »

l'écho dans la Michna et le Talmud où l'opposition
se fait encore sentir contre les Boéthusiens qui
interprétaient littéralement le sabbat du 7ᵉ jour de la
semaine, et pour qui la Pentecôte devait par conséquent toujours tomber un dimanche (*Menahot* **10,** 3;
cf. *Hagiga* **2,** 4). Il est intéressant que ces Boéthusiens du Talmud soient des « Sadducéens » — quels
que soient ces fils de Sadoq, ils appartiennent à un
milieu sacerdotal. Mais il est aussi important de
constater qu'ils devaient représenter une tradition
fort ancienne puisque les Samaritains — aux affinités sacerdotales certaines — célèbrent encore de
nos jours la Pentecôte au dimanche et que cette
opinion est partagée par les Juifs caraïtes (1).

Il n'a pas manqué de critiques pour interpréter
« le lendemain du sabbat » de Lev. **23,** 15 comme le
premier jour de la semaine (dimanche) (2). Si l'on
avait poursuivi l'hypothèse en l'appliquant au livre
des Jubilés (3), d'origine sacerdotale, étant donné
la fixité des fêtes liturgiques dans ce calendrier, on
aurait retrouvé depuis longtemps déjà les jours de
la semaine où tombaient toutes les autres fêtes liturgiques. Cependant un autre point embarrassait les
chercheurs, car admettre un lendemain de sabbat
le 26 /I, donc un samedi au 25 /I, c'était faire commencer le mois au mercredi 1 /I. Or, il apparaissait par-

---

(1) Cf. NEMOY, *Karaite Anthology*, New Haven, 1952, p. 50,
216, 222.
(2) Cf. PEDERSEN, *Israel. Its life and its culture*, t. II, Londres-Copenhague, 1940, p. 303 et n. 1, p. 696.
(3) Epstein s'était arrêté en cours de route; il avait trouvé
que la Pentecôte dans les *Jubilés* devait toujours tomber le
dimanche, en interprétant Jub. **6,** 20 du *premier* jour de la
semaine (*R. E. J.* XXII (1891), p. 4-8).

faitement bizarre d'avoir un début d'année au mercredi (4e jour) et non pas au dimanche (1er jour). Aussi reléguait-on facilement les exigences des Jubilés au rang de fantaisie chimérique.

La trouvaille du P. Barthélémy, qui a fait franchir à la question un pas décisif, c'est d'avoir rapproché une notice de l'écrivain arabe Al-Biruni qui, dans sa *Chronologie des peuples orientaux*, traite d'une secte des Magarya, ou « gens de la grotte » parce que leurs livres avaient été découverts dans des grottes. Or ces Magarya présentent bien des ressemblances avec les sectaires de Qumrân (1) :

« Abû-Isâ Alwarrak parle dans son *Kitâb al-Makâlât* d'une secte juive appelée Maghariba (2), qui prétend que les fêtes ne sont légales que lorsque la lune apparaît pleine en Palestine *dans la nuit du mercredi qui suit le jour du mardi*, après le coucher du soleil. C'est là leur jour de Nouvel An. C'est à partir de ce moment que sont comptés les jours et les mois et que commence le cycle annuel des fêtes. Car Dieu a créé les deux grands luminaires le mercredi. De même ils ne permettent pas que la *Pâque* tombe un autre jour que le *mercredi*. Seulement les obligations et les rites prescrits pour la Pâque, ils ne les tiennent pour nécessaires que pour ceux qui vivent au pays d'Israël. Tout ceci est opposé aux coutumes de la majorité des Juifs et aux prescriptions de la Torah (3) ».

---

(1) Barthélémy, « Notes en marge de publications récentes sur les manuscrits de Qumrân », *R. B.* LIX (1952), p. 199-203.

(2) Les mêmes que les Magarya. Cf. de Vaux, « A propos des manuscrits de la mer Morte », *R. B.*, LVII (1950), p. 423.

(3) Al-Biruni est cité d'après la traduction de E. Sachau, *The Chronology of ancient nations*, Londres, 1879, p. 278. Ce texte avait été déjà signalé par Poznanski, « Philon dans l'ancienne littérature judéo-arabe », *R. E. J.*, L (1905), p. 17.

Négligeons pour l'instant la question lunaire à laquelle est consacré un appendice spécial. La raison qui justifie un début d'année au 4ᵉ jour de la semaine (mercredi), c'est la *création des astres au 4ᵉ jour.* C'est en effet depuis que les astres règlent le cours du temps qu'ont commencé à courir les jours, les mois et le cycle des fêtes. Si donc l'on fait commencer l'année au mercredi dans les Jubilés, la Pâque (15/I) tombe aussi un mercredi comme l'affirme le texte et le 25/I est bien un samedi. Mais il faut faire partir le calcul des 50 jours du samedi *qui suit* l'octave de la Pâque et non pas du sabbat intérieur comme le font les Samaritains et les Caraïtes. Ainsi est résolu un des points jusqu'ici les plus obscurs du calendrier des Jubilés.

Un autre moyen, indépendant de la date de la fête des Semaines et de tout critère extérieur, confirme rigoureusement que l'année débute au mercredi dans les Jubilés. En effet, outre les indications de semaines d'années et de jubilés qui restent encore fort obscures, le livre des Jubilés est parsemé de dates — exprimées avec numéros des jours et des mois — qui ponctuent l'histoire des origines et les récits des patriarches. Or les patriarches voyagent beaucoup — dans la Genèse et dans les Jubilés... Il suffit de penser que jamais l'auteur ne fera voyager les patriarches, modèles d'Israël, un jour de sabbat, selon la règle posée en Jub. **50, 12.** Il faut donc relever tous *les jours de déplacement* datés par l'auteur et dresser le tableau correspondant des jours de la semaine, selon la distribution propre aux Jubilés. Nous commençons avec les voyages d'Abraham.

Jubilés.	*Jours de déplacement.*	
16, 11	Abraham se déplace au milieu du Ve mois. Le « milieu » — d'après l'analogie de la fête des Semaines — c'est le 15 du mois.	15/V
17, 15	Mastéma réclame le sacrifice d'Isaac le 12 du Ier mois.	12/I
18, 1-17	Abraham, obéissant à l'ordre de Dieu, se lève de bon matin, donc le 13, et arrive au Mont Sion le 3e jour, donc le 15.	13/I 14/I 15/I
	Il repart le même jour pour Bersabée, donc le même temps de voyage de retour : deux jours (16 et 17 du Ier mois).	16/I 17/I
27, 19	Jacob arrive à Béthel le soir du 1er jour du Ier mois.	1/I
29, 5	Jacob se dirige sur Gilead le 21 du Ier mois.	21/I
	Laban atteint Jacob le 13 du IIIe mois.	13/III
29, 6-7	*Arrêt certain le 14 du IIIe mois.*	
29, 13	Passage du Jaboq le 11e jour du IXe mois.	11/IX
31, 3	Montée à Béthel le 1er jour du VIIe mois.	1/VII
33, 1	Visite de Jacob à Isaac le 1er jour du Xe mois.	1/X
34, 12	Envoi de la robe de Joseph le 10e jour du VIIe mois.	10/VII
44, 1	Départ de Jacob le 1er jour du IIIe mois.	1/III
44, 8	Départ du Puits du Serment le 16e jour du IIIe mois.	16/III
45, 1	Arrivée en Égypte le 1er jour du IVe mois.	1/IV

Pour constituer le tableau, disposons verticalement les sept jours de la semaine, nommés suivant l'ordre alphabétique, et horizontalement les quantièmes du mois. L'année étant composée de quatre trimestres égaux de 13 semaines chacun, avec trois mois de 30 jours et un jour intercalaire, la disposition des jours de la semaine dans chaque trimestre est symétrique. Il suffit donc de reporter sur un trimestre les jours homologues des trois autres. Dans ce tableau trimestriel type, le premier mois représentera le premier mois de chaque trimestre, soit les premier, quatrième, septième et dixième mois de l'année, le deuxième mois le deuxième mois de chaque trimestre, et ainsi de suite... Les jours de déplacement sont en caractères gras.

	I. IV. VII. X.	II. V. VIII. XI.	III. VI. IX. XII.	
A	**1** 8 **15** 22 29	6 13 20 27	4 **11** 18 25	: merc.
B	2 9 **16** 23 30	7 14 21 28	5 12 19 26	: jeudi.
C	3 **10** **17** 24	1 8 **15** 22 29	6 **13** 20 27	: vendr.
D	4 11 18 25	2 9 16 23 30	7 14 21 28	: *samedi.*
E	5 12 19 26	3 10 17 24	**1** 8 15 22 29	: diman.
F	6 **13** 20 27	4 11 18 25	2 9 **16** 23 30	: lundi.
G	7 **14 21** 28	5 12 19 26	3 10 17 24 *31*	: mardi.

Le seul jour de la semaine sans déplacements est le jour *D*, jour sur lequel tombe également l'arrêt de la poursuite de Jacob par Laban. C'est donc le jour du *sabbat*. Le jour A qui est le premier jour de chaque trimestre et de l'année tombe un *mercredi* (1).

Une troisième méthode aurait pu être utilisée par les auteurs qui plaçaient la fête des Semaines

(1) On remarquera que ces résultats ne peuvent être dus au hasard. Outre l'arrêt certain au 14/III, le voyage d'Abraham et d'Isaac (Jub. **18**, 1-17, cf. **17**, 15) est situé entre deux sabbats, comme le paraît aussi le voyage de Jacob (Jub. **44**, 1). L'auteur obéit à des intentions très conscientes.

au dimanche, s'ils avaient songé à établir ce tableau.
En effet le 15/III, donc le jour E, étant un dimanche,
le jour A tombe encore un mercredi (1).

Le tableau ainsi obtenu est extrêmement instructif
et fondamental pour notre propos. On peut immédiatement y repérer *les jours des fêtes liturgiques* :

Pâque	15/I	MERCREDI
Fête des Semaines (Pentecôte)	15/III	DIMANCHE
Jour des Expiations	10/VII	VENDREDI
Fête des Tabernacles	15/VII	MERCREDI

Début (1ᵉʳ jour) *de chaque mois* :

1/I	1/IV	1/VII	1/X	MERCREDI
1/II	1/V	1/VIII	1/XI	VENDREDI
1/III	1/VI	1/IX	1/XII	DIMANCHE

Nous avons évité à dessein ici le nom de « néomé-
nie » pour le 1ᵉʳ jour des mois, nom qui peut prêter
à confusion. En effet les débuts de mois dans les
Jubilés ne peuvent être qu'exceptionnellement des
nouvelles lunes. La traduction latine des Jubilés
porte partout *primo (prima) die.*
A simple vue, ce tableau montre que les jours de
la semaine mis en relief par le calendrier liturgique
des Jubilés sont *mercredi, vendredi, dimanche,* avec
prépondérance du mercredi comme étant le jour
de la Pâque, de la fête des Tabernacles et de son
octave (22/VII), des quatre débuts de trimestre
qui sont les quatre grands jours de souvenir (Jub.

(1) C'est la méthode qu'a voulu utiliser M. MORGENSTERN,
« The calendar of the Book of Jubilees, its origin and its cha-
racter », *V. T.* V (1955), p. 34-76, mais son tableau est vicié
par une erreur dans la place du jour intercalaire.

6, 23-28). Il est décisif que les fragments de calendrier 4Q donnent en jours de la semaine les dates des fêtes liturgiques. Or ces jours sont ceux du calendrier ci-dessus. Le sacrifice de la Pâque est assigné au *mardi*, puisque la manducation de la Pâque se fait le 14 au soir (1).

Un nouveau coup d'œil sur la liste des déplacements des patriarches montrerait que les dates nommément exprimées par l'auteur sont dans un rapport direct avec ces jours « liturgiques ». Les quatre débuts de trimestre y sont représentés (Jub. **27,** 19; **31,** 3; **33,** 1; **45,** 1) : mercredi. L'intervention de Mastéma et le voyage d'Abraham sont en relation directe avec la Pâque. Toutes les autres dates tombent un mercredi, un vendredi ou un dimanche, sauf en Jub. **29,** 5 (21 /I mardi), — mais le 21 /I est le 7e jour de la Pâque — et en Jub. **44,** 8 (16 /III lundi), — mais le départ de Jacob a lieu au lendemain de la fête des Semaines. Ainsi le récit même des voyages des patriarches apparaît déjà de type liturgique.

Étendons l'enquête aux dates de l'ouvrage autres que les déplacements des patriarches (2).

Jubilés.		*Dates*	
3, 17	Tentation d'Eve par le serpent.	17 /II	dimanche
3, 32	Adam et Eve sortent du paradis.	1 /IV	mercredi
7, 2	Célébration de fête.	1 /I	mercredi

(1) C'est la date biblique, cf. Ex. **12,** 6; Lev. **23,** 5; Nb. **9,** 3. 5. 11; Jos. **5,** 10, etc... mais comme les jours commencent au soir précédent (cf. Lev. **23,** 32) la *fête* de la Pâque a lieu le 15 (mercredi). On discute pour savoir exactement à quel moment du soir commençait la journée du 15.

(2) Voir dépliant à la fin du livre.

12, 16	Abraham reconnaît le Dieu unique.	1 /VII	mercredi
14, 1	Dieu parle à Abraham.	1 /III	dimanche
15, 1	Apparition à Abraham.	15 /III	dimanche
16, 1	Apparition des anges.	1 /IV	mercredi
16, 12	Conception d'Isaac.	15 /VI	dimanche
16, 13	Naissance d'Isaac.	15 /III	dimanche

Arrêtons ici ce tableau suffisamment parlant. Les dates du déluge ont été omises à dessein pour l'instant. Les débuts de trimestre sont encore largement représentés, la fête des Semaines (15 /III) y est à l'honneur. Ici ne se rencontrent que le *mercredi* et le *dimanche*. En poursuivant ce relevé, les dates offriraient un peu plus de variété : le grand Abraham meurt le jour de la fête des Semaines (dimanche) (Jub. **22,** 1), mais Déborah, nourrice de Rébecca, ne mourra qu'un jeudi, le 23 /VII (Jub. **32,** 30); il est vrai que c'est le lendemain de l'octave des Tabernacles ! Les naissances des patriarches sont distribuées sur plusieurs jours de la semaine et il n'est pas toujours facile de retrouver les intentions qui ont présidé à cette répartition, mais ce n'est certainement pas un hasard si Lévi, dont le rôle est premier dans les Jubilés naît le 1 /I (mercredi), comme Caath dans les *Testaments des XII Patriarches*. Juda, comme Isaac, naît le jour de la fête des Semaines, fête de l'Alliance (dimanche). A Joseph, dont la figure grandit dans la Haggada juive, est réservé le 1er jour du IVe mois (mercredi) (1).

(1) Dates de naissance des patriarches : Ruben 14 /IX (samedi), Siméon 21 /X (mardi), Lévi 1 /I (mercredi), Juda 15 /III (dimanche), Dan 9 /VI (lundi), Nephtali 5 /VII (dimanche), Gad 12 /VIII (mardi), Aser 2 /XI (samedi), Issachar 4 /V (lundi), Zabulon 7 /VII (mardi), Joseph 1 /IV (mercredi) —

Ces exemples suffisent à prouver que les principaux événements de l'histoire d'Israël sont mis en rapport avec le rituel. Dans l'état d'esprit qui préside à l'élaboration de ces récits, l'histoire du peuple saint est tout entière sacralisée. Elle s'est pliée au *rythme d'un déroulement liturgique.*

Se pose alors la question : d'où vient cette conception sacrale de l'histoire? d'où sort un tel calendrier?

d'après Jub. **28**, 11-24. Benjamin 11/VIII (lundi) — d'après Jub. **32**, 33. S'il n'y a pas d'erreur de transmission dans les manuscrits, Ruben et Aser sont nés le jour du sabbat, ce qui semble une étrange disgrâce. Une naissance au jour du sabbat amenait en effet à le violer; le jour de naissance le plus heureux était certainement le *mercredi* (cf. STR.-BILL. II 405). « Les anciens *hasidim* avaient l'habitude de n'accomplir leur devoir conjugal que le mercredi, afin d'empêcher leurs femmes de souiller le sabbat » (*Nidda* 38ab), vue fondée sur le calcul du nombre de jours entre la conception et la naissance d'après le développement précédent de *Nidda*. Cf. en Jub. **50**, 8 l'interdiction des rapports conjugaux le jour du sabbat.

CHAPITRE II

ORIGINE ET HISTOIRE
DE CE CALENDRIER ANCIEN

A qui recherche l'origine de ce calendrier s'imposent quelques remarques préalables. C'est d'abord le *témoignage interne* des textes. Les Jubilés et les documents de Qumrân, nous l'avons vu, affirment que pour retourner à la loi de Moïse, pour la pratiquer dans sa rigueur, il faut observer les fêtes de l'Alliance, données par Dieu à Moïse, inscrites sur les tablettes du ciel. C'est dire que pour le milieu des Jubilés et de Qumrân ce calendrier avait été imposé par Moïse lui-même. Il faisait partie de ces vénérables traditions qu'on faisait remonter à Hénoch, qui appartenaient au dépôt sacré transmis à Lévi et à ses fils. Si peu homogènes que soient ces affirmations, elles déclarent toutes que ce calendrier était un legs du passé d'Israël.

Si les problèmes de calendrier n'étaient pas aussi importants dans la mentalité antique et dans le judaïsme en particulier, si ce milieu farouche des pieux d'Israël n'avait pas consacré des œuvres entières de combat pour la défense de ce calendrier (1),

(1) Cf. Barthélémy, *ibid.*, *R. B.*, LIX (1952), p. 201-202, qui proteste contre l'hypothèse d'un calendrier utopique.

œuvres pieusement recopiées, on pourrait mettre en doute leur bonne foi, ou plutôt croire à un calendrier de fantaisie, fruit d'une imagination utopique. Mais les textes prouvent abondamment que ce calendrier fut pour eux, au moins sur toute une période de leur histoire, question vitale à laquelle était accrochée leur fidélité à la loi de Moïse. Abandonner ce calendrier, c'était « marcher à la suite des Gentils », c'était aussi grave que de « manger le sang » (Jub. **6**, 38). Ce calendrier devait présenter de sérieuses garanties.

Un indice de tradition ancienne se trouve dans la date de la *fête des Semaines* assignée au *dimanche*, lendemain du sabbat. C'est en effet l'interprétation la plus naturelle de Lev. **23**, 16 :

« Vous compterez 50 jours jusqu'au lendemain du septième sabbat et vous offrirez à Yahvé une oblation nouvelle. »

Sur ce point, la tradition des Jubilés, qui rejoint celle des Samaritains, paraît beaucoup plus fidèle que celle du calendrier pharisien.

Notons enfin que la *numérotation* utilisée par les Jubilés pour nommer les mois est caractéristique des documents bibliques assignés par la critique à l'école sacerdotale. Ainsi les textes eux-mêmes nous amènent à examiner dans quelle mesure ces « fils de Lévi, Sadoq et Aaron » (1) ont conservé un calendrier propre aux documents sacerdotaux.

La méthode à suivre va s'inspirer de celle que suggérait l'étude des Jubilés. Traduisons en jours de

---

(1) Fils de Lévi (Jub. **45**, 16; *IQSa* I 22). Fils de Sadoq (*IQS* V 2. 9; *CDC* IV 3) *IQSa* I 24. II 3, etc.) Fils d'Aaron (*IQS* V 21; IX 7; *IQSa* I 23, etc...)

la semaine toutes les dates de *l'Hexateuque* exprimées
en *numéros de jours et de mois*. Nous négligeons volontairement les dates des fêtes du cycle liturgique annuel
déjà rencontrées dans les Jubilés et qui sont strictement les mêmes, donc qui donneraient les mêmes résultats : *mercredi, vendredi, dimanche.*

Gen. **7,** 11	Commencement du déluge.	17/II	dimanche
Gen. **8,** 4	Arrêt de l'arche sur le mont Ararat.	17/VII	vendredi
Gen. **8,** 5	Les sommets des montagnes apparaissent.	1/X	mercredi
Gen. **8,** 13	Les eaux laissent la terre à sec	1/I	mercredi
Gen. **8,** 14	La terre est sèche.	27/II	mercredi
Ex. **12,** 3	Choix de l'agneau pascal.	10/I	vendredi
Ex. **12,** 31-51 = Nb. **33,** 3	Sortie d'Egypte.	15/I	mercredi
Ex. **16,** 1	Arrivée au désert de Sin.	15/II	vendredi
Ex. **40,** 1-17	Erection du tabernacle.	1/I	mercredi
Nb. **1,** 1	Dénombrement des enfants d'Israël.	1/II	vendredi
Nb. **9,** 11	Pâque du second mois (lendemain de la manducation de l'agneau).	15/II	vendredi
Nb. **10,** 11	Départ du Sinaï.	20/II	mercredi
Nb. **33,** 38	Mort d'Aaron.	1/V	vendredi
Dt. **1,** 3	Discours de Moïse.	1/XI	vendredi
Jos. **4,** 19	Arrivée en terre promise.	10/I	vendredi

Il faut avouer qu'il est difficile d'attribuer au hasard
ces résultats singulièrement proches de ceux des
Jubilés (1). Mêmes jours liturgiques. Même prédi-

---

(1) Dans l'ensemble ces dates comportent peu de variantes.
Tandis que dans le T. M. le déluge commence un lendemain de
sabbat, les LXX le font débuter un 27/II (mercredi); le 27/VII
des LXX pour l'arrêt de l'arche est probablement analogique.

lection pour les débuts de mois. Même respect pour le repos du sabbat; les arrivées (y compris celle de l'arche sur le mont Ararat) ont lieu le vendredi, veille du sabbat. Dans le code sacerdotal, comme dans les Jubilés, existait donc la règle de s'abstenir de voyager le jour du sabbat.

Ajoutons une remarque sur l'interprétation de Nb. **10,** 33 qui s'explique mieux par l'application de ce calendrier :

« Ils partirent de la montagne de Yahvé et marchèrent trois jours et (pendant ces trois jours) l'arche partait devant eux pour leur chercher un lieu de repos. »

Qu'on supprime ou non comme un doublet la seconde mention des trois jours, la référence au ⱳ. 11 du même chapitre — même séparé par des insertions — indique que les trois jours doivent se compter depuis le départ du Sinaï le 20/II, un mercredi. Les trois jours de marche sont donc : mercredi, jeudi, vendredi; l'arche cherche un lieu de repos pour le samedi, jour du sabbat.

Voici maintenant comment s'interprète, à la lumière de ce calendrier, la *chronologie* si controversée *du déluge* dans le document P. Le déluge commence le 17 du IIe mois. Les eaux grossissent pendant 150 jours (Gen. **7,** 24), et lorsque, au bout des 150 jours, elles commencent à diminuer, l'arche s'arrête sur le mont Ararat le 17 du VIIe mois (Gen. **8,** 4), donc *cinq mois* après le commencement du

En Gen. **8,** 5 les LXX portent 1/XI (vendredi). Pour la mort d'Aaron, le syriaque présente 1/I (mercredi) (cf. n. 1, p. 57 sur la signification sacerdotale et le symbolisme solaire de ce jour). Il est assez remarquable que même les variantes semblent se confiner au mercredi et au vendredi.

déluge. Il s'ensuit que le total des jours de ces cinq mois doit être *au moins* égal à 150 jours. Or, la somme de cinq mois lunaires aboutirait seulement à un total de 147 ou 148 jours, ce qui élimine l'hypothèse des mois lunaires. Tandis que, d'après le calendrier des Jubilés, du 17/II au 17/VII il s'écoule trois mois de 30 jours et deux de 31 jours; total : 152 jours. Les eaux commencent à baisser au bout de 150 jours — soit le 15/VII, un *mercredi* — et deux jours après, *vendredi*, veille du sabbat, l'arche s'arrête sur le mont Ararat (1).

(1) Il est curieux de remarquer que selon la variante des LXX en Gen. **8,** 5 (1/XI vendredi), l'écart avec la date suivante 1/I est dans le calendrier des Jubilés de 61 jours (30 + 31). Or cet intervalle de 61 jours coïncide exactement avec le temps indiqué en Gen, **8,** 6-12 (document J) si l'on pense qu'il faut additionner aux 40 jours 3 périodes de 7 jours (21 jours). La variante attestée par le grec pourrait être ancienne et correspondre au désir d'unifier les documents.

L'hypothèse proposée ci-dessus ne résout pas tous les problèmes posés par la chronologie du déluge. Le départ au 17/II reste mystérieux; l'auteur pouvait choisir un autre dimanche (même date en Jub. **3,** 17 pour la tentation d'Eve !). De plus on a très pertinemment soutenu — dans l'hypothèse des mois lunaires — que du 17/II, commencement du déluge, au 27/II, fin du déluge, il s'écoulait une année de 12 mois lunaires (354 jours) plus 10 jours, soit 364 jours, ce qui prouverait que l'auteur utiliserait des mois lunaires, mais voulait assigner au déluge la durée d'une année solaire de 364 jours. Les mois lunaires sont certainement éliminés par les 150 jours; mais il n'est pas impossible que nous ayons là combinaison consciente de deux calendriers.

D'autre part il existe des différences entre la chronologie sacerdotale du déluge et celle des *Jubilés*. Les Jubilés ajoutent plusieurs dates au T. M. *a*) Aux deux débuts de saison mentionnés dans le T. M. 1/X et 1/I (Gen. **8,** 5. 13), les Jubilés joignent le 1/IV et le 1/VII (Jub. **5,** 29; cf. **6,** 26) avec l'intention bien

L'*Hexateuque* — dans ses parties sacerdotales — constituait un terrain de choix pour la vérification de notre hypothèse, puisque des dates idéales y sont projetées sur l'histoire des origines. Poursuivons cependant par l'œuvre du Chroniqueur — milieu sacerdotal — qu'on peut soupçonner également d'histoire idéalisée.

Dans les *Chroniques* aucune date n'est contraire au calendrier des Jubilés, en ce sens qu'aucune œuvre servile ou aucun déplacement n'a lieu le jour du sabbat (1). Une seule date infirmerait l'hypothèse : en II Chron. **3, 2** Salomon commence à bâtir le temple le 2/II, jour de sabbat; or, si la mention du

---

nette que ces quatre débuts de trimestre soient célébrés comme jours de souvenir (Jub. **6, 25. 28**). *b*) Dans le T. M. la terre est sèche le 27/II (mercredi), dans les Jubilés le 17/II (dimanche), le 27/II célébrant la sortie de l'arche (Jub. **5, 31-32**). *c*) Dans les Jubilés, Noé entre dans l'arche le 1/II (dimanche) jusqu'au 16 (samedi) (Jub. **5, 23**); probablement doit-on penser jusqu'au 16 exclu puisque c'est un jour de sabbat; dans le *Livre d'Adam et d'Eve* (cf. plus bas, p. 63) l'entrée dans l'arche a lieu un vendredi.

Il se pose enfin une difficulté textuelle à propos de la date de la fermeture de l'arche dans les Jubilés **5, 23**, c'est-à-dire du début du déluge : chiffre 17 d'après l'édition éthiopienne de Charles (que M. Velat a bien voulu vérifier) date du T. M.; chiffre 27 (LXX) d'après la traduction de Kautzch et plusieurs commentateurs (cf. *International Critical Commentary, Genesis*, Edinburgh, 1930, p. 167, note). Étant donné la mention du 16 qui précède, c'est sans doute la date massorétique du 17 qu'il faut adopter.

(1) On peut même signaler des notations liturgiques intéressantes. En II Chron. **7, 10** le peuple est renvoyé le 23/VII (jeudi), lendemain d'une grande quinzaine de fêtes comprise du 8/VII au 22/VII (mercredi à mercredi). En II Chron. **29, 17** : commencement des purifications 1/I (mercredi), entrée dans le portique 8/I (mercredi); purifications achevées le

IIe mois est certaine, le *2e jour* manque dans trois manuscrits hébreux, LXX, Vulgate, Syriaque (cf.
Begrich, éd. Kittel).

Dans *Esdras-Néhémie* nous ne tenons pas compte
des dates exprimées avec les noms babyloniens des
mois. Voici le relevé des autres :

Esd. **7**, 9	Départ de Babylone.	1/I	mercredi
	Arrivée à Jérusalem.	1/V	vendredi
Esd. **8**, 31	Départ d'Ahava.	12/I	dimanche
Esd. **10**, 9	Rassemblement.	20/IX	vendredi
Esd. **10**, 16	Début de session.	1/X	mercredi
Esd. **10**, 17	Fin de session.	1/I	mercredi
Neh. **8**, 2	Rassemblement.	1/VII	mercredi
Neh. **9**, 1	Jour de pénitence.	24/VII	vendredi

Toutes les dates tombent encore le *mercredi* et le
vendredi, sauf le départ d'Ahava, *dimanche*, lendemain d'un sabbat. Arrivée à Jérusalem un vendredi,
veille d'un sabbat. Une fois de plus les premiers jours
des « saisons » sont à l'honneur.

On connaît les affinités du livre d'*Ezéchiel* avec le
code sacerdotal. Par ailleurs l'influence d'Ezéchiel
sur les sectaires de Qumrân est incontestable. Ce
sont ceux qui accomplissent la parole du prophète,
eux, les fils de Sadoq qui ont monté la garde du sanctuaire pendant que s'égaraient les fils d'Israël,
eux qui offrent la graisse et le sang (Ez. **44**, 15.
CDC III 21-IV 2). Très proche d'Ezéchiel est leur
vision de la restauration du Temple (1). Or, dans le
livre d'Ezéchiel, visions et oracles, quand ils sont

16/I (jeudi), lendemain de la Pâque. En II Chron. **30**, 15. 21.
23, après la seconde Pâque immolée le jeudi soir (14/II),
deux semaines de fêtes commencent le vendredi.

(1) Cf. BAILLET, « Fragments araméens de Qumrân 2 »,
R. B. LXII (1955), p. 222-245.

datés, le sont à la manière propre au code sacerdotal, toujours avec le système numéral. Voici la liste de ces dates :

Ezéchiel	Oracles et Visions	Dates	
1, 1	Première vision.	5/IV	dimanche
3, 15-16	Sept jours après.	12/IV	dimanche
8, 1	Vision.		
	(T. M. 5/VI jeudi.)		
	Cod. Petropol. (année 916).	1/VI	dimanche
	(LXX 5/V mardi.)		
20, 1	Oracle aux anciens.	10/V	dimanche
24, 1	Contre Jérusalem.	10/X	vendredi
	(cf. IIR. **25**, 1; Jer. **52**, 4).		
26, 1	Contre Tyr (1er du mois).	1/?	m/v/d (1)
29, 1	Contre l'Egypte	12/X	dimanche
29, 17	Nouvel oracle.	1/I	mercredi
30, 20	Contre Pharaon.	7/I	mardi
31, 1	Nouvel oracle.	1/III	dimanche
32, 1	Nouvel oracle.	1/XII	dimanche
32, 17	Nouvel oracle.	15/?	m/v/d
	(LXX 15/I mercredi).		
33, 21-23	Arrivée du fugitif (2).	5/X	dimanche
	(LXX 5/XII jeudi).		
40, 1	Vision du Temple futur, le 10		
	de *Rosh hashana* (3).	10/VII	vendredi

Si l'on songe aux difficultés de transmission textuelle, ce tableau ne manque pas d'éloquence.

(1) Mercredi, vendredi ou dimanche.

(2) Serait-ce dans le T. M. une exception à la règle des arrivées au vendredi? Mais l'accent est mis sur l'oracle, non sur l'arrivée.

(3) Il est probable qu'il faut fixer *Rosh hashana* (premier de l'an) au VIIe mois de l'année, selon l'interprétation courante de l'expression dans le judaïsme postérieur. Notons pourtant qu'en Hén. **82**, 15 la « tête » de l'année se situe au printemps. Mais, quoi qu'il en soit du sens dans Ezéchiel, les deux semestres étant parfaitement symétriques dans un calendrier

Pourquoi cette prédilection pour le dimanche? Touchons-nous là aux racines d'une symbolique du premier jour de la semaine? En Ez. **8**, 1 nous avons « choisi » la date, mal assurée. En Ez. **30,** 20 la seule date qui « jure » sur les autres — mardi — est celle du 7/I, mais selon Ez. **45,** 20 c'est un jour de sacrifice; y a-t-il là trace d'évolution liturgique (1)?

En dehors des dates assignées aux visions et oracles d'Ezéchiel, une autre raison milite — à l'intérieur même du livre — pour un rapprochement avec le calendrier des Jubilés. En effet, la division quadripartite de l'espace attestée dans plusieurs passages d'Ezéchiel (2) oriente vers une division du temps en quatre saisons; car les quatre zones célestes franchies par le soleil définissent précisément les quatre saisons de l'année (3). Peut-être pourrait-on

de type Jubilés, la distribution réciproque des jours par rapport aux mois est toujours la même, et le 10/I tomberait aussi un vendredi.

(1) On peut se demander si, dans ce système, le mardi n'a pas eu une importance particulière. La Pâque était immolée un mardi soir; le 7e jour de la Pâque était un mardi; de même le 7e jour de la fête des Tabernacles avant l'introduction de l'octave. Trois sur quatre des visions d'Aggée seront situées au mardi — dont l'un est le 7e jour des Tabernacles (cf. plus loin n. 2, p. 49). La seule date de *I Hénoch* est une vision au 14/VII (mardi), veille de la fête des Tabernacles (cf. plus loin n. 3, p. 57).

(2) Ez. **1**, 8; **37**, 9; **42**, 16-20; **47**; **48**. Comparer en Nb. **2** la disposition des tribus autour de la Tente de réunion suivant les quatre points cardinaux.

(3) M. Morgenstern pense que le calendrier du premier Temple était un calendrier solaire, emprunté aux Phéniciens par Salomon; il était donc fondé sur l'observation des solstices et des équinoxes. Le Temple aurait été bâti de telle sorte que, aux deux jours des équinoxes, le soleil y brillait directement par la porte de l'Orient (ceci d'après des témoignages tardifs,

prouver que les quatre êtres vivants de la vision du chapitre **1**, qui désignent les quatre points cardinaux, représentent quatre constellations opposées à 90 degrés comme on l'admet pour la vision correspondante de l'Apocalypse (1).

En définitive, après examen des textes sacerdotaux avec lesquels Jubilés, Ecrit de Damas et documents de Qumrân présentent des affinités si frappantes, les coïncidences de calendrier sont trop fortes pour pouvoir récuser le témoignage que les textes portent sur eux-mêmes de sauvegarder un calendrier ancien d'Israël. Tant de rencontres ne peuvent être dues à un simple hasard. Nous sommes donc amenés à conclure à une *continuité de calendrier*. Cela ne signifie pas qu'il n'ait pu se produire une certaine évolution, ni se glisser des additions ou interprétations nouvelles; en particulier le régime des intercalations destinées à rattraper l'année solaire a pu varier; on peut supposer des accommodations

---

en général rabbiniques). Voir MORGENSTERN, « The gates of righteousness », *H.U.C.A.* VI (1929), p. 1-37 et *V. T.* V (1955), p. 68-69.

(1) « On a remarqué que quatre constellations, à 90 degrés à peu près l'une de l'autre sur l'équateur (que les Babyloniens anciens considéraient plus que l'écliptique), toutes d'ailleurs contenant quelque étoile qui attire les yeux, sont le Lion et le Scorpion, diamétralement opposées, le Taureau et Pégase. Leurs noms sont très antiques; le Scorpion était d'abord un Homme-Scorpion, et Pégase, le cheval ailé, pouvait éveiller l'idée de l'Aigle, d'autant plus qu'il existe une autre constellation qui porte ce nom déjà à Babylone.» ALLO, *Saint Jean. L'Apocalypse*, Paris, 1933, p. 72 sur Apoc. **4**, 7. Cf. LOHMEYER, *Die Offenbarung des Johannes*, Tubingue, 1953, p. 48. Sur les signes du zodiaque chez les anciens Juifs, cf. DRIVER, « Two astronomical passages in the Old Testament », *J. T. S.* VII, 1 (n. series, avril 1956), p. 1-11.

diverses avec le système lunaire (App. III). Mais
de part et d'autre c'est la même répartition des
jours de la semaine par rapport aux jours du mois,
c'est le même souci de mettre en valeur certains jours
liturgiques, toujours les mêmes. Le calendrier Jubilés-
Qumrân est donc substantiellement celui de l'École
sacerdotale.

Est-il possible de remonter plus haut? D'où peut
venir l'importance — à première vue surprenante —
de ces jours liturgiques? Quels motifs avait-on de
les mettre ainsi en relief? Il est sans doute permis
de présenter une *hypothèse d'origine*.

L'importance donnée à ces divers jours paraît
directement fonction de la place qu'ils occupent dans
la *semaine sabbatique*. Le dimanche, premier jour
de la semaine, lendemain du sabbat, jour des départs
et des initiatives nouvelles (1). Vendredi, veille du
sabbat, jour des arrivées et des rassemblements qui
précèdent le sabbat (2); le vendredi (parascève)
devrait son importance à sa place terminale dans les
jours actifs de la semaine et au fait qu'il est jour
de préparation du sabbat. Reste le rôle prépondé-
rant attribué au mercredi. Faut-il lier l'importance
accordée au 4e jour à une mystique, fort ancienne
en Orient, du nombre « quatre », chiffre cosmique?

(1) Gen. **7**, 11, départ de l'arche, 17/II (dimanche). Esd.
8, 31, départ d'Ahava, 12/I (dimanche). Jub. **44**, 1, départ
de Jacob, 1/III (dimanche).
(2) Gen. **8**, 4, arrêt de l'arche sur le mont Ararat, 17/VII
(vendredi). Ex. **16**, 1, arrivée au désert de Sin, 15/II (vendredi). Jos. **4**, 19, arrivée en Terre Promise, 10/I (vendredi).
Esd. **7**, 9, arrivée d'Esdras à Jérusalem, 1/V (vendredi),
etc...

(Cf. : les quatre parties du monde, les quatre vents, les quatre points cardinaux, les quatre fleuves du paradis...) (1). A quel mobile obéissait l'auteur de la première page de la Genèse en plaçant la création des astres au 4ᵉ jour? Si l'on s'en tient au terrain de la semaine, l'importance du 4ᵉ jour paraît due à la place centrale qu'il occupe dans la semaine, équidistant des deux extrêmes (2). Il est très possible que les divers jours aient présenté un caractère faste ou néfaste comme certains jours du mois dans le calendrier babylonien (3). En tout cas, tels qu'apparais-

(1)   Cette mystique du nombre quatre se retrouvera dans la *tetractys* pythagoricienne. En ce qui concerne le 4ᵉ jour on ne peut trouver que des parallèles lointains avec le 4ᵉ jour... du mois. A Babylone, le grand poème de la création *Enuma Elish* était lu en entier le 4ᵉ jour de la fête du Nouvel An (4 Nisan). Pour l'Égypte, cf. Plutarque : « On dit aussi qu'Horus, fils d'Isis, fut le premier qui, dès le 4ᵉ jour du mois, sacrifia au soleil » (*Isis et Osiris*, § 52). Comparer aussi l'importance du 4ᵉ jour dans le curieux catalogue des jours attribué à Hésiode (*Les travaux et les jours*, ỹ. 770, 798, 800, 809, 819).

(2) Le début de la nuit du mercredi (mardi soir) est le point de la semaine le plus éloigné du sabbat dans les deux sens; c'est donc celui qui offre le moins de risque de profanation du sabbat. Point central d'un aller-retour situé entre deux sabbats, il permet des rassemblements à trois jours de distance du domicile, par exemple pour la célébration de la Pâque au mardi soir (Rapprocher Ex. **3,** 18 et **5,** 3 et de manière moins exacte Jub. **18,** 1-17).

(3) Cf. Labat, *Hémérologies et ménologies d'Assur*, Paris, 1939. On sait que les jours néfastes qui étaient d'abord au nombre de neuf se sont réduits ensuite aux jours du mois 7, 14, 19, 21, 28 (fondé sur un septénaire, le 19ᵉ jour étant le 49ᵉ —7 × 7— du mois précédent). Assez tôt les Chaldéens mirent les jours de la semaine en relation avec les planètes (Bidez-Cumont, *Les mages hellénisés*, Paris, 1938, II, p. 229, n. 1). Plus tard chez les Elcéséens, il ne fallait rien entreprendre le 3ᵉ jour de la semaine (Hippolyte, *Elenchos* IX, 16).

sent les 1er, 4e et 6e jours, ils semblent bien liés à la question de la semaine sabbatique et donc aux origines obscures du sabbat.

Or, la semaine, comme unité de temps, ayant certainement précédé le calendrier de 364 jours, les jours privilégiés de la semaine peuvent parfaitement lui être également antérieurs. L'étude des Lewy met en lumière un calendrier de la *pentécontade*, qui aurait existé en Orient à très ancienne époque (1). S'il est bien difficile de reconstruire un calendrier continu de la pentécontade, il est du moins certain que la « cinquantaine » existait comme unité de temps dans l'Orient ancien (2); or la base de cette penté-

---

(1) LEWY, « The origin of the week and the oldest west asiatic calendar » *H. U. C. A.* XVII (1942-1943), p. 1-152. Cf. MORGENSTERN, *V. T.* V (1955), p. 37 sv. Pour le symbolisme du nombre *cinquante* dans les civilisations mésopotamiennes (le Dieu Elil était appelé « le divin Cinquante ») voir LEWY, p. 45; DHORME, *Les Religions de Babylonie et d'Assyrie*, coll. Mana, Paris, 1949, p. 28, 49, 102. A propos du chiffre 50, M. Dupont-Sommer avait suggéré un rapprochement avec le pythagorisme (« Contribution à l'exégèse du manuel de discipline X, 1-8 », *V. T.* II (1952), p. 239-240 et *Nouveaux Aperçus*, Paris, 1953, p. 152-156). Ces ressemblances s'expliquent sans doute par les racines profondes que possédait le pythagorisme en Orient ancien (cf. plus haut n. 1, p. 42).

(2) Cf. les exemples de contrats babyloniens cités par Lewy (*ibid.*, p. 47-49) où les calculs se font par pentécontades. Cf. aussi *Les Travaux et les Jours*, v. 663. Pour les exemples postérieurs chez Juifs et Chrétiens, voir LEWY, *ibid.*, p. 78, 98, 103 et MORGENSTERN, *V. T.* V. (1955), p. 45-54. Aux textes sur les Thérapeutes, joindre celui de Saadia sur Juda l'Alexandrin cité par POZNANSKI, *ibid.*, *R. E. J. L.* (1905), p. 26-27 : « Juda l'Alexandrin dit que, de même qu'entre la récolte de l'orge et celle du froment il y a 50 jours (depuis Pâques jusqu'à la Pentecôte), de même il y a, entre la récolte du froment et celle du moût, 50 jours, ce qui tomberait à la fin de Tam-

contade — unité majeure — était déjà la semaine —
unité mineure. Le caractère très stable de la semaine
comme unité fondamentale de temps porte à
penser qu'elle a pu traverser des computs assez
divers, toujours en entraînant avec elle ses jours
privilégiés. C'est ainsi qu'elle serait entrée comme
unité de base dans le comput sacerdotal et jubiléen :
dans le « quart d'année » de 13 semaines et dans
l'année de 364 jours qui étaient la meilleure manière
de combiner un calendrier solaire avec la semaine
préexistante. Ce comput prenait comme point de
départ le mercredi, certainement en liaison très
consciente avec le récit sacerdotal de la création.

En tout cas, quoi qu'il en soit de cette reconstitu-
tion, il est sûr que cette *date du mercredi*, qui était
apparue d'abord comme une particularité des Magarya,
n'est pas du tout *une doctrine aberrante* dans la tradition juive. Le mercredi, 4e jour, était le jour de la
création des astres ; il était logique d'en faire le point
de départ de leurs révolutions planétaires. Or il existe
de cette doctrine des attestations tardives, mais
appartenant à des milieux variés du judaïsme,
puisqu'on les trouve aussi bien dans les *Pirké Rabbi
Eliézer* (tradition palestinienne) que dans le *Talmud
de Babylone* et chez *Al-Biruni* dans un contexte
absolument différent de celui des Magarya. Ces textes
nous apprennent l'existence dans le judaïsme d'un cycle
solaire qui, tous les 28 ans, recommençait à l'équinoxe du printemps *au début de la nuit du mardi*

mouz, et de même la récolte du moût est éloignée de celle de
l'huile de 50 jours, de sorte que l'offrande de l'huile doit être
faite le 20 Elul ». Rapprocher *la fête de l'huile* dans le calendrier
4Q, qui doit tomber un *dimanche* (22/VI).

au mercredi (voir App. II). On signale même encore aujourd'hui dans le rituel juif une bénédiction du soleil tous les 28 ans le premier mercredi de Nisan (1). Si obscure que soit l'origine de ce cycle, retenons seulement l'élément qui nous intéresse : le départ au mercredi.

La diversité des témoignages sur ce comput — en même temps que le caractère hétérogène de cette doctrine par rapport au calendrier rabbinique où l'année ne peut jamais commencer un mercredi — amènerait déjà à conclure à une origine ancienne; mais la comparaison avec le comput Jubilés-Magarya nous oblige encore à reculer cette origine, car on ne peut admettre qu'un calendrier purement sectaire ait pu donner naissance à des traditions talmudiques et se perpétuer dans un rituel. Il faut donc remonter à une doctrine commune, antérieure au livre des Jubilés, ce qui s'accorde parfaitement avec des origines bibliques. Ainsi, par une autre méthode, obtenons-nous la preuve qu'un calendrier, largement répandu dans le judaïsme, commençait au mercredi à l'équinoxe du printemps, au moins avant le milieu du IIe siècle.

Ceci confirme nos résultats antérieurs mais ne prouve pas le caractère annuel de ce comput. Le renouvellement annuel au mercredi 1/I suppose en effet une année de 364 jours, exactement divisible par sept.

Une année de 364 jours se trouve attestée dans une

(1) *Jewish Encyclopedia*, Sun (Blessing of), t. XI, 590-591. M. Neher me permet aimablement d'ajouter qu'il a célébré lui-même, avec ses étudiants juifs, la bénédiction traditionnelle du soleil, le *mercredi* 9 avril 1953 (28e année du cycle solaire).

couche importante de l'*Hénoch slave* (1). L'intérêt
de ce comput est qu'il n'est pas simplement un
emprunt à l'Hénoch éthiopien, puisqu'il compte
différemment le nombre des jours du mois. Il les
compte même de deux façons : trajet du soleil et
trajet de la lune. Le trajet solaire comporte pour
chaque demi-année un mois de 42 jours et quatre
de 35 jours (total : 182 jours). Ainsi, cette fois,
chaque mois contient un nombre exact de semaines !
Chaque mois commence donc par le même jour
de la semaine, curieuse surenchère sur les Jubilés
et I Hénoch qui se contentaient d'un renouvellement
trimestriel, mais souci manifeste de mettre en évidence les mêmes jours de la semaine. Quant au trajet
lunaire, il est si bizarre qu'on peut se demander s'il
ne s'agit pas d'un second comput solaire, car il retombe
lui aussi sur 364 jours (2). Les fantaisies de l'Hénoch
slave indiquent qu'à l'époque et dans le milieu où le
livre fut composé, la numérotation sacerdotale des
mois était abandonnée, mais qu'on cherchait à
sauver la fixité annuelle des jours de fêtes liturgiques.
Ceci est à retenir.

Les études de Poznanski contiennent une précieuse
documentation. Il cite le sectaire Meswi al-Okhbari
(seconde moitié du ixe s.) qui déclarait que la Pâque
devait avoir lieu un jeudi

---

(1) *Le Livre des Secrets d'Hénoch* (édition Vaillant), Paris,
1952, p. 13, 17. Nous traitons l'Hénoch slave comme un écrit
juif, non chrétien.

(2) Trajet solaire : éd. Vaillant, p. 13. Trajet lunaire :
ibid., p. 15, 17. Le trajet « lunaire » comporte 7 mois de 31 jours,
3 mois de 30 jours, 1 de 35, 1 de 22; total 364 jours! Voir
CHARLES, *The Book of the Secrets of Henoch*, Oxford, 1896,
p. 18, note sur **16**, 2-3. Le texte du passage est d'ailleurs
défectueux.

« afin que le *Jour des Expiations* tombât un samedi et fût ainsi un véritable sabbat des sabbats ».

Or, ceci n'est possible que dans un calendrier de 364 jours (1). Il suffit de retarder d'un jour le comput des Jubilés pour que la fête de Kippur qui tombe un vendredi soit reportée au samedi. Cette « rectification », si l'on peut dire, ne s'explique que dans la perspective de ce calendrier et paraît bien une réaction contre le mercredi de la Pâque.

D'ailleurs voici encore un témoignage sur le *mercredi*, recueilli par Poznanski. D'après Bar-Hebraeus un nommé Daniel, disciple du caraïte Anan, aurait profané le sabbat et solennisé le mercredi; or, dans un fragment manuscrit publié par Harkavy, un certain Al-Matari, qu'on songe à identifier avec le précédent Daniel, affirmait que la fête du 7e jour devait avoir lieu le mardi, puisque selon Gen. **1**, 14 le calcul des jours commençait au mercredi (2). Ceci recoupe exactement le comput des Jubilés où la fête du 7e jour de la Pâque tombe forcément un mardi.

Ainsi trouve-t-on le souvenir du calendrier de 364 jours à la fois dans le milieu de l'Hénoch slave et chez des Caraïtes (3). Comme on le voit, ce sont de simples vestiges, mais il n'est pas indifférent

(1) Poznanski, *ibid. R. E. J.* L (1905), p. 18-19.

(2) *Ibid.*, p. 17-18. Poznanski renvoie ensuite à plusieurs témoignages sur un comput solaire ancien (p. 19).

(3) Les 364 jours que Lidzbarski avait cru trouver dans certains manuscrits de l'*Histoire d'Ahikar* seraient dus à une erreur de lecture. Les manuscrits portent le chiffre de 8763 heures pour l'année et non 8736 (qui feraient 364 jours); pour obtenir ce dernier chiffre il faudrait une correction. Cf. Nau, *Histoire et Sagesse d'Ahikar*, Paris, 1909, p. 229.

de les découvrir dans des milieux aussi divers. Ces indications s'accordent bien avec une base d'origine assez large.

Il faudrait maintenant chercher à grouper les éléments qui permettent d'esquisser une *histoire du calendrier sacerdotal ancien* depuis les documents bibliques jusqu'au moment où il s'effrite. Il n'est pas question ici d'une vue d'ensemble sur le calendrier d'Israël que rend extrêmement difficile la pénurie de nos renseignements. L'accord est rare sur ce sujet; la matière est si molle, les indications si fragiles que nous demeurons perplexes devant l'interprétation des textes et les imbrications réciproques des calendriers solaire et lunaire (1). Nous nous limitons modestement à la période post-exilique, exposant à part les problèmes propres à la question lunaire (App. III), et visons davantage à rassembler des informations qu'à bâtir un système.

Une première méthode — d'ordre *interne* — consistera à appliquer aux autres livres bibliques le tableau de conversion en jours de la semaine déjà utilisé pour les documents sacerdotaux et Ezéchiel.

Les livres des Rois utilisent de très anciens noms de mois en Israël (Bul, Ziv, Ethanim). Cependant quelques dates sont données, avec les numéros des jours et des mois. En I R **12,** 32-33 Jéroboam établit dans le royaume d'Israël une fête le 15e jour du VIIIe mois

_____

(1) On se rendra compte de la complexité des problèmes en lisant les thèses contradictoires exposées dans les divers dictionnaires et encyclopédies. Voir aussi Morgenstern, « The three calendars of ancient Israel » *H. U. C. A.* I (1924), p. 13-78 et « Supplementary Studies in the calendar of ancient Israel ». *H. U. C. A.* X (1935), p. 1-148.

pour faire concurrence à celle de Juda; cette fête
tombe un vendredi. Deux autres dates importantes
sont signalées le vendredi : le siège de Jérusalem
10/X (II R **25**, 1; Jer. **52**, 4; Ez. **24**, 1) et la libé-
ration de Joakim, le 27/XII (II R **25**, 27; Jer. **52**,
31). La tradition manuscrite est hésitante sur les
dates de la prise et de l'incendie de Jérusalem (1).

Chez les prophètes, peu de dates exprimées avec
numéros de jours et de mois. Les dates d'*Aggée*
ne contredisent pas le calendrier sacerdotal (2).
En *Zacharie* les deux seules dates s'accordent fort
bien, puisqu'elles se situent le dimanche et le mercredi:
le 24ᵉ jour du XIᵉ mois — qui est le mois de Schebat
(Zach. **1**, 7); le 4ᵉ jour du IXᵉ mois — en Kislev
(Zach. **7**, 1). Ces dates sont fort intéressantes, à cause
des affinités sacerdotales de Zacharie, et parce que
les mois sont traduits dans le système babylonien (3).

Si nous arrivons à une période plus tardive, en
Daniel une seule date : 24/I vendredi (Dan. **10**, 4);
dans *Judith*, une seule : 22/I mercredi (Jud. **2**,
1) (4).

(1) Prise de Jérusalem : le 9ᵉ jour — sans numéro de mois
dans II R **25**, 3 — du IVᵉ (var. Vᵉ) mois en Jer. **39**, 2 et
52, 6. La ville serait tombée un jeudi (var. sabbat). Incendie
du temple et de la ville : 10/V (dimanche) en Jer. **52**, 12;
7/V (jeudi) ou 9/V (samedi) en II R **25**, 8.

(2) Ag. **1**, 1 : 1/VI (dimanche); Ag. **1**, 15 : 24/VI (mardi);
Ag. **2**, 1 : 21/VII (mardi); Ag. **2**, 10 : 24/IX (mardi). Cf. n. 1,
p. 39.

(3) On pourrait, en sens inverse, essayer de convertir les
dates à noms babyloniens d'*Esdras*, *Néhémie*, *Esther* dans le
système numéral correspondant, mais le résultat est de peu
de profit. Une des dates d'*Esther* serait certainement contraire
au calendrier sacerdotal (Esther **9**, 15).

(4) Nous n'hésitons pas à citer *Judith* dont l'original est
certainement sémitique.

Il est sûr que sauf Aggée, qui pose un cas spécial, et quelques dates hésitantes des livres des Rois, toutes les dates « numérotées » tombent *un des trois jours liturgiques.* Ce n'est sans doute pas un hasard, mais on ne peut qu'interpréter avec prudence ces maigres indications.

Le cas de *I Maccabées* n'est pas simple. Si le texte sur l'entrée de Simon dans l'Akra (**13,** 51) le 23 /II, un jour de sabbat, reste inquiétant (1), les fêtes de la restauration du temple en **4,** 52 commencent le 25 /IX (mercredi) et se terminent huit jours après, donc aussi un mercredi. En convertissant la date de la grande déclaration gravée sur les tables d'airain 18 Elul en 18 /VI, on retomberait sur un mercredi (I Mac. **14,** 27). En **7,** 43 la poursuite des Juifs contre leurs ennemis dure une journée — or c'était le 13 Adar ou 13 /XII (vendredi) : se seraient-ils arrêtés au moment du sabbat? Il n'est donc pas impossible qu'une source importante du rédacteur de I Maccabées trahisse encore l'utilisation de ce calendrier (2).

Ces derniers textes, plus tardifs, autorisent plutôt des pressentiments que des conclusions fermes. Ils suggèrent que certains milieux de pieux étaient restés attachés au calendrier sacerdotal ancien dans la première moitié du second siècle. Par ailleurs, étant donné l'extension des dates babyloniennes,

(1) Cette difficulté n'est peut-être pas insurmontable, comme je l'avais cru d'abord (*V. T.* III (1953), p. 263, n. 2). L'entrée de Simon, au son des instruments de musique et des chants liturgiques, a tout le caractère d'une fête religieuse qui pouvait ne pas comporter d'œuvre interdite le jour du sabbat.

(2) La seule autre date précise est le 15 de Kislev (15 /IX dimanche). La convergence de ces dates converties attire l'attention, surtout si on les compare aux dates de *Megillath Taanith* pour la même période.

et le témoignage du Siracide (voir App. III), il est probable qu'il y a eu une progressive adaptation du système sacerdotal ancien, d'abord sous l'influence babylonienne, puis, pendant le cours du iiie siècle, sous l'influence grandissante de l'hellénisme, mais ce calendrier intermédiaire pouvait demeurer très dépendant du système ancien, en conservant les fêtes au jour de la semaine qui leur était attitré (voir App. III). Une hellénisation trop brutale au temps d'Antiochus Épiphane qui voulut « changer les *temps* et la loi » (Dan. **7, 25**).

aurait précipité une crise sans doute latente. Le soulèvement asidéo-maccabéen a pu se faire en partie autour d'une lutte de calendrier. Les « ultras » — qui s'expriment dans le livre des Jubilés — seraient retournés au calendrier intégral que Dieu avait révélé et que « tout Israël » avait abandonné. Les expressions mêmes des Jubilés et de l'Écrit de Damas paraissent supposer en effet qu'il y avait eu une certaine désaffection de ce calendrier. Cependant les descendants des Asmonéens auraient poursuivi une évolution qui aboutit au système que nous connaissons.

Faisons appel maintenant aux témoignages *externes*. C'est encore à Al-Biruni que nous nous adresserons.

Voici une notice curieuse dans un chapitre où l'auteur traite des intercalations et de la détermination de la nouvelle lune :

« Avant ce temps-là (= 200 ans après Alexandre) ils (les Juifs) avaient l'habitude d'observer les *tequfoth*, c'est-à-dire les quarts d'années (solstices ou équinoxes)... et de les comparer avec la conjonction du mois auquel devait se rapporter la *tequfah* en question. S'ils trouvaient que la conjonction précédait la *tequfah* d'environ 30 jours, ils intercalaient un mois en cette année; par

exemple, s'ils trouvaient que la conjonction de Tammuz
précédait la *tequfah* de Tammuz, c'est-à-dire le solstice
d'été, d'environ 30 jours, ils intercalaient en cette année
un mois de Tammuz, si bien qu'il y avait un premier
Tammuz et un second Tammuz. Ils opéraient de la même
manière avec les autres *tequfoth* (1). »

La date de 200 ans après Alexandre nous reporte
vers 150-125 av. J.-C. — si le chiffre est exact !
Du moins l'affirmation est-elle fort importante pour
nous qui connaissons les quatre saisons du calendrier ancien. C'est une confirmation que, jusque
vers le milieu du second siècle avant notre ère, l'ensemble du judaïsme tenait compte scrupuleusement
de l'observation des solstices et des équinoxes.
Ceci nous amène à penser que dans le calendrier
de 364 jours les intercalations pouvaient se placer
entre les différents quarts d'année — d'où l'importance des premiers jours de chaque saison. Mais
une intercalation de trente jours ne pouvant convenir
à ce calendrier, il est probable qu'Al-Biruni fait allusion à un calendrier lunaire (noms babyloniens :
Tammuz !) encore proche du système ancien et où
on conservait le souci des quatre *temps*. Ainsi s'explique mieux la protestation des Jubilés contre la
lune qui « dérange les saisons » (2). La datation fournie
par Al-Biruni correspond bien à l'ensemble de notre
hypothèse évolutive.

(1) AL-BIRUNI, *Chronology...*, éd. Sachau, p. 68.
(2) L'observation des « signes » célestes était fort importante pour les *Jubilés* : « Hénoch fut le premier à inscrire
dans un livre les signes célestes d'après l'ordre de leurs mois,
afin que les hommes pussent connaître les saisons des années
selon l'ordre de leurs mois distincts » (Jub. **4**, 17. Cf. Jub. **12**, 16
et I Hén. **72**, 14, 20).

A un autre endroit, Al-Biruni dresse la liste des jours où, dans le calendrier juif, il est impossible que tombent certaines fêtes de l'année. Le 1ᵉʳ Tishri, dit-il, ne peut tomber les 1ᵉʳ, 4ᵉ, 6ᵉ jours de la semaine, ni Kippur les 1ᵉʳ, 3ᵉ, 6ᵉ jours, ni la Pâque les 2ᵉ, 4ᵉ, 6ᵉ jours. La raison en est, poursuit-il, qu'il faut éviter deux jours chômés consécutifs et qu'un sabbat ne doit pas tomber la veille d'une fête qui exige une préparation.

« C'est pourquoi on a essayé de construire le calendrier de façon que 2 jours de repos ne se suivent pas (1). »

Or, dans le système ancien, le 1/VII tombe toujours un 4ᵉ jour, la Pâque un 4ᵉ jour, Kippur un 6ᵉ jour, donc des jours *prohibés* par le calendrier juif usuel auquel se réfère Al-Biruni. C'est précisément dans ce contexte que se place la fameuse notice sur les Magarya; ils sont expressément cités parce qu'ils dérogeaient à la règle en célébrant la Pâque au mercredi. Nous saisirions là sur le vif un point

(1) *Chronology...*, p. 277-278. Le calendrier juif actuel interdit que le 1ᵉʳ Tishri tombe un dimanche, un mercredi ou un vendredi pour éviter que le jour des Expiations tombe un dimanche ou un vendredi et que le 7ᵉ jour des Tabernacles tombe un samedi (*Jewish Encyclopedia*, Calendar, III 503). Pour le jour de la Pâque, un témoignage de Makrizi confirme celui d'Al-Biruni : « Le 1ᵉʳ de Nisan n'est jamais un lundi, un mercredi ou un vendredi », donc aussi le 15 Nisan (DE SACY, *Chrestomathie arabe*, Paris, 1826, t. I, p. 292). Le caraïte Samuel al-Magribi proteste contre la règle fautive, établie par le calendrier officiel, que la Pâque ne tombe jamais un lundi, un mercredi ou un vendredi (NEMOY, *Karaite Anthology*, p. 222). Avec des mois lunaires de 29 et 30 jours alternativement, un 15 Nisan au lundi entraîne en effet un 1ᵉʳ Tishri au mercredi et Kippur au vendredi; un 15 Nisan au mercredi entraîne un 1ᵉʳ Tishri au vendredi et Kippur au dimanche.

de friction essentiel entre le calendrier des Jubilés et le calendrier officiel, en même temps qu'une des raisons de l'opposition contre le calendrier sacerdotal ancien. Si l'on pense que dans ce dernier comput les jours de fête liturgiques étaient les 1er, 4e, 6e jours, on se rend compte du bouleversement opéré par la règle des deux jours chômés de suite. Il fallait que le motif invoqué fût sacré : la protection du sabbat ! Les défenseurs du calendrier « légal » évitaient la profanation du jour saint.

Ce fut sans doute là le conflit le plus grave, la ligne de démarcation la plus sensible, lorsque les partisans du calendrier à mois lunaires, se fondant à la fois sur le principe de la défense du sabbat et sur les datations traditionnelles, mais en les appliquant aux mois lunaires, non seulement donnèrent priorité au jour du mois contre le jour de la semaine mais interdirent les jours traditionnels. Ils avaient pour eux d'excellentes raisons, mais la stabilité traditionnelle des jours de la semaine dut se perpétuer dans des milieux attachés aux antiques traditions — sans pour cela revenir à l'intégrisme des Jubilés. On comprend que ce livre ait fulminé contre ceux qui changeaient le jour pur contre le jour impur, le jour saint contre le jour profane. Si tel est bien le sens des protestations indignées élevées par les Jubilés, on devrait dater cet important clivage au moins d'avant 125.

Finalement, l'opposition la plus nette entre calendrier officiel et « non officiel » est bien celle *du jour mobile au jour fixe*, mais il paraît bien s'y être ajouté déjà à très ancienne époque une *différenciation* des jours de la semaine. Ceci nous intéresse spécialement pour la date de la *Pâque*. Cependant certains secteurs ne furent emportés que tardivement. La *Pentecôte* dut rester fort longtemps fixée au dimanche, comme le prouvent les revendications dont la Michna et le Talmud ont conservé l'écho (cf. plus haut, p. 22). Il est difficile de préciser une date. Sous Jean Hyrkan, la Pentecôte fut au moins une fois célébrée au dimanche (*A.J.* XIII **8,** 4); ce peut être une coïncidence. Pour Derenbourg, le « rétablissement » de la fête des Semaines avec interdiction de deuil en *Megillath Taanith* commémorerait la victoire des Pharisiens sur les Sadducéens et leur manière de célébrer la fête (1). Mais jamais la Pentecôte ne fut soumise à la règle des deux jours chômés de suite. Ceci montre que le dimanche primitif de la fête des Semaines offrait une solide résistance, grâce sans doute à son caractère de cinquantième jour, lendemain des sept sabbats; stabilité qui lui permit de se prolonger dans des computs qui avaient abandonné la numérotation sacerdotale et adopté les mois lunaires. Sans doute par ses origines le jour de la Pentecôte

(1) Derenbourg, *Essai sur l'histoire et la géographie de la Palestine*, t. I, Paris, 1867, p. 444, n. 6. Les hésitations sur le point de départ des 50 jours de la Pentecôte sont certainement fort instructives. Tandis que le calendrier des *Jubilés* part du dimanche 26/I, les Samaritains et les Caraïtes partent du dimanche qui suit le 15 Nisan (cf. de Sacy, *ibid.*, p. 320, n. 35). Le sectaire Meswi al-Okhbari hésitait sur le dimanche où devait être célébrée la Pentecôte : « Meswi affirmait que la Pentecôte doit être fêtée le dimanche, mais il ne savait pas exactement quel dimanche... C'est pourquoi il la célébrait avec l'ensemble (des Rabbanites) », trad. Nemoy, « Al-Qirqisani account of the jewish sect », *H. U. C. A.* VII (1930), p. 390. Hésitations semblables chez les Caraïtes de Basra (*ibid.*, p. 395). Les Falashas rejetaient la Pentecôte au 12 Siwan, calculant donc les 50 jours à partir du dernier jour de la fête; cf. Morgenstern, *V. T.* V (1955), p. 51.

était-il lié davantage à la pentécontade qu'au calendrier de 364 jours (1). C'est là un exemple typique qui prouve que les jours liturgiques de la semaine pouvaient être dans le judaïsme plus stables que le calendrier de 364 jours.

Aux alentours de l'ère chrétienne les attestations les plus certaines du maintien des jours de la semaine se trouvent évidemment dans le milieu de Qumrân et les écrits apparentés. D'après une précision qu'a bien voulu me donner oralement M. Milik, les manuscrits du calendrier liturgique de 4Q présenteraient en général une écriture du type « hérodien » (fin 1er s. avant notre ère, début 1er s.). Même s'il s'agit d'une copie, cela montre que l'intérêt pour les fêtes à jours fixes de la semaine n'avait pas diminué (2). Dans une source des *Testaments des XII Patriarches*

---

(1) Cf. p. 43. Cette pentécontade était très fortement conservée dans le calendrier des *Jubilés* et de Qumrân, étant donné la place capitale que tenait chez eux la fête de la Pentecôte, fête du renouvellement de l'alliance (cf. plus haut p. 20). Il faut rapprocher un texte curieux du Josèphe slave sur les Esséniens : « Ils observent très fort le 7e jour, *la 7e semaine*, le 7e mois et la 7e année » (ISTRIN et PASCAL, *La prise de Jérusalem*, I, Paris, 1934, p. 143 sur *B. J.* II **8**, 9). Cf. RUBINSTEIN, *V. T.* VI (1956), p. 308, n. 3. Que signifie exactement cette 7e semaine? S'agit-il seulement de la Pentecôte ou bien est-il fait allusion à d'autres fêtes du 50e jour? cf. plus haut n. 2, p. 43. Sans parler des Thérapeutes, du côté chrétien il faut rapprocher *Constitutions apostoliques* VII **36**, 4 « une semaine, *sept semaines*, 7e mois, 7e année... » et *Livre d'Adam et d'Eve* (cf. plus loin, p. 65).

(2) Les *Dires de Moïse*, reprenant la manière du code sacerdotal, donnent comme jour d'arrivée des Hébreux sortant du désert le 10/VII (vendredi) (*IQ* 22, iii, 10; *DJD* I, p. 94); date « symétrique » de celle de Jos. **4**, 19 (10/I). Cf. plus haut n. 3, p., 38.

Caath naît le 1/I (mercredi) au lever du soleil (1).
Dans les Testaments grecs Nephtali réunit ses enfants
le 1/VII (mercredi) (2). Ce sont là les cas les plus
nets. Dans d'autres ouvrages, où se devinent des
affinités littéraires, ne demeurent que de simples
vestiges (3).

Cela est parfaitement normal si l'on songe que, dans
le judaïsme tardif, la numérotation sacerdotale
n'était plus utilisée dans l'usage courant (à supposer
qu'elle l'eût jamais été). Elle n'avait plus cours que
dans l'usage liturgique de certains milieux et comme
un archaïsme. Il fallait donc — chance inespérée ! —
la redécouverte d'un rituel, ou bien des textes narratifs qui, rapportant l'histoire sacrée du passé, trahissent indirectement leurs habitudes liturgiques en
projetant ces jours saints dans le récit. Les dates

(1) Charles, *The greek versions of the Testaments of the
twelve Patriarchs*, Oxford, 1908, p. 253 (fragment du mss du
Mont Athos confirmé par le fragment araméen de Cambridge.
Cf. Milik, « Le testament de Lévi en araméen », *R. B.* LXII
(1955), p. 398-406. Le 1/I doit représenter l'équinoxe du
printemps; c'est là un beau symbolisme solaire pour le repré-
sentant du sacerdoce. Rapprocher la naissance de Lévi dans
les *Jubilés* (voir plus haut, p. 29). Le prêtre nouveau de *Test.
Lévi* **18,** est comparé au soleil.

(2) *Test. Nephtali* **1,** 2 (une curieuse variante donne *4e jour.*
Serait-ce la traduction — incomprise — en jour de la semaine?)

(3) Voici les relevés de quelques œuvres apparentées.
I Hénoch : une seule date, vision 14/VII mardi (I Hén. **60,** 1);
cf. plus haut n. 1, p. 39. *II Hénoch :* les dates sont transposées
dans un autre calendrier (éd. Vaillant, p. 112-115 et 119);
l'ascension d'Hénoch a lieu le 1er Nisan. *Antiquités bibliques :*
ruine de Jérusalem, 17/IV vendredi (Ant. bibl. **19,** 7); discours
de Josué, 16/III lundi, lendemain de la fête des Semaines
(var. 17/III) (Ant. bibl. **23,** 2). *Pirqé Rabbi Eliézer :* Israël
avait reçu les commandements le *vendredi,* 6 du mois à la
6e heure (éd. Friedlaender, p. 359).

d'actualité ne pouvaient que s'exprimer dans les divers calendriers officiels. Tels les livres des Maccabées, tel plus tard Josèphe. A Qumrân même, certains événements historiques, commémorés dans le calendrier habituel de la secte, sont également datés dans le calendrier courant à noms babyloniens (3).

On se rend compte, par conséquent, combien il est difficile d'établir dans le judaïsme qui entoure l'ère chrétienne une « carte » du calendrier qui indiquerait l'extension du calendrier sacerdotal ancien. D'autant que plusieurs raisons nous amènent à supposer l'existence d'un *calendrier mitigé*, qui s'était adapté aux phases lunaires mais qui avait conservé pour les fêtes liturgiques les mêmes jours de la semaine (App. III). Un tel calendrier pouvait exister à l'époque du Siracide. Les hésitations sur la place du dimanche de la Pentecôte, l'abandon du système numéral dans l'Hénoch slave, les préoccupations « lunaires » de I Hénoch et des textes qui témoignent d'un cycle solaire commençant au mercredi, sont autant d'indices dans le même sens. Il est d'ailleurs dans la logique de la vraisemblance historique que des milieux de diverses nuances aient conservé jalousement les traditions vénérables qui plaçaient les célébrations liturgiques à jour fixe de la semaine, mais que pour se moins séparer de la liturgie célébrée au temple, ils aient cherché un accommodement, célébrant leurs propres fêtes à un jour fixe proche de la fête officielle. Les fêtes se seraient ainsi recoupées au moins dans leur octave.

En définitive, au début du 1er siècle de notre ère, existaient certainement *deux calendriers liturgiques*,

---

(3)   D'après la communication de M. Milik.

l'un dont les fêtes étaient fondées sur les jours du
mois lunaire, calendrier officiel sur lequel nous
sommes renseignés par le judaïsme rabbinique postérieur. L'autre où les fêtes ne tombaient que les
jours fixes de la semaine. Sur ce dernier calendrier
se révèlent maintenant des sources juives contem-
poraines. Il ne nous est attesté que par le type Jubilés-
Qumrân, mais il est probable qu'il existait aussi sous
des formes mitigées qui pouvaient soit avoir conservé
un stade intermédiaire de calendrier, soit avoir cherché
des accommodements avec le comput officiel.

A l'époque où nous nous plaçons, ce dernier calendrier est uniquement liturgique et de type archaïque.
Il se saisit seulement dans des témoignages spora-
diques; il semble près de disparaître. Or, le fait est
capital, il va se survivre à lui-même dans le vaste
mouvement du christianisme ancien. La véritable
postérité de ce calendrier, c'est la liturgie chrétienne.

CHAPITRE III

AUX SOURCES
DE LA LITURGIE CHRÉTIENNE

Les premières indications de dates liturgiques apparaissent dans la Didaché :

« Que vos jeûnes n'aient pas lieu en même temps que ceux des hypocrites. Ils jeûnent en effet le lundi et le jeudi; pour vous, jeûnez le mercredi et le vendredi » (Did. **8,** 1).

Ainsi, le plus ancien « calendrier » chrétien se caractérise par une *opposition de jours de la semaine* avec les « hypocrites » — les Pharisiens! — les jours chrétiens sont le *mercredi* et le *vendredi*. Il faut ajouter le *dimanche*, attesté dans le Nouveau Testament lui-même comme le jour du Seigneur (Apoc. **1,** 10) et jour de synaxe (Ac. **20,** 7) (1). *Mercredi, vendredi, dimanche*, tels sont les jours liturgiques de la communauté chrétienne primitive, tels étaient ceux du calendrier sacerdotal ancien en opposition avec ceux du calendrier officiel. Il est difficile de ne pas voir là une continuité liturgique.

(1) Cf. *Didaché*, **14,** 1; *Ep. Barnabé* **15,** 9; Justin, *I Apol.* **67,** 7.

Les mercredi et vendredi sont jours de jeûne (1).
Ce sont des jours de *statio*, terme dont la signification est certainement empruntée au judaïsme et qui
traduit l'hébreu *ma'amad ;* ce mot désigne dans le
Talmud et la Michna les services liturgiques qu'assu-
raient à tour de rôle les sections de garde du temple (2).
Ce sont aussi des jours de synaxe qu'on fait remonter
aux apôtres (3). Très anciennement les jeûnes du
mercredi et du vendredi ont été mis en relation avec la
passion de Jésus(4); bornons-nous pour l'instant à

(1) A la *Didaché* et aux *Didascalies* et *Canons* des Apôtres
signalés plus loin n. 4, ajouter *Les 127 canons des apôtres*,
P. O. t. **8**, 685-686. Voir Tertullien, *De jejuniis* **2** et **14**;
Clément d'Alexandrie, *Strom.* **7**, 12 (*G. C. S.* **17**, p. 54,
éd. Stählin, t. III.)

(2) Cf. Bonsirven, « Notre *statio* liturgique est-elle empruntée au culte juif » ? *R. S. R.* XV (1925), p. 258-266; Mohr-
mann, « Statio », *Vig. Chr.* VII (1953), p. 221-245. On notera
l'importance des sections de garde ou *mishmaroth* dans les
fragments de calendrier liturgique 4Q — d'autre part la défense
en *Taanith* **4**, 2 pour les hommes de la *ma'amad* de jeûner la
veille du sabbat à cause du respect dû au sabbat (opposer
la coutume chrétienne du jeûne du vendredi). Pour le terme
de *statio*, voir Tertullien, *ibid.*; *Pasteur d'Hermas, Simil.*
5, 1-2 (στατίων).

Une remarque curieuse a été faite par de Sacy sur un texte
de Makrizi : « Le mot arabe dont Makrizi se sert pour indiquer la fête de la Pentecôte, signifie proprement *statio*, ou le
lieu où l'on se tient, par exemple pour célébrer une solennité.
Cette dénomination ne me paraît répondre à aucune de celles
que les Juifs donnent à la Pentecôte. » de Sacy, *Chrestomathie
arabe*, Paris, 1826-1827, I, p. 320, n. 37.

(3) Epiphane, *De Fide* 22 (*G. C. S.* **37**, p. 522); *Didascalie
d'Addai* **2**, 2-4 (éd. Nau, p. 225). Cf. *Livre d'Adam et d'Eve*,
éd. Malan, p. 82-83.

(4) *Didascalie*, chap. 21; *Didascalie d'Addai, ibid.*; Epiphane, *ibid.*; *Livre d'Adam et Eve, ibid.*; *Constitutions apostoliques*, VII **23**.

constater ce fait sans chercher à l'expliquer pour le mercredi. Quant au dimanche, il a été lié très tôt au souvenir de la résurrection.

Ces trois jours liturgiques apparaissent donc dans le christianisme ancien avec un caractère d'anniversaire; mais il ne fait pas de doute qu'ils étaient « prédisposés » à ces nouvelles fonctions. Il est probable qu'en revanche la signification nouvelle qu'ils reçurent contribua à les maintenir dans la liturgie chrétienne. Or, ce sens commémoratif était bien dans la ligne des documents sacerdotaux et du livre des Jubilés. Il est intéressant d'en trouver d'autres témoignages dans le christianisme lui-même pour montrer non seulement la continuité de la pratique liturgique, mais la continuité d'un même état d'esprit pour lequel l'histoire sainte se déroule tout entière suivant un rythme sacré.

On nous excusera d'insister d'abord sur un apocryphe chrétien d'origine juive, de caractère assez puéril, mais qui fournit une application ingénue de la méthode des Jubilés. Il s'agit du *Livre d'Adam et d'Eve*, aussi appelé *Combat d'Adam et Eve* (1).

Cet apocryphe, qui n'existe plus qu'en version éthiopienne et arabe, se daterait dans sa forme actuelle du ve ou vi^e siècle de notre ère; mais visiblement le rédacteur a utilisé un large fonds de traditions juives qu'il rassemble dans cet ouvrage. La première partie, la plus longue et la plus intéressante pour notre sujet, raconte l'histoire des origines

---

(1) Trad. anglaise : MALAN, *The book of Adam and Eve*, Londres, 1882. Trad. allemande : DILLMANN A., *Das christliche Adambuch des Morgenlandes*, Göttingen, 1853. Cf. MIGNE, *Dictionnaire des Apocryphes*, I, Paris, 1856, c. 297-392.

jusqu'à Abraham, en insistant sur les combats d'Adam et d'Eve avec Satan, puis sur la légende de Melchisédec. L'auteur note les dates de plusieurs événements importants et fort heureusement il les donne souvent en clair, c'est-à-dire en jours de la semaine. Voici le relevé exhaustif de ces dates; les pages sont celles de l'édition Malan :

A. — Adam fut introduit dans le paradis le *vendredi* à la 3e heure, transgressa le commandement à la 6e heure, en sortit à la 9e heure (p. 37-41 et p. 116).

B. — « Adam mourut le 15e jour de Bermudah, après qu'on eut calculé l'épacte du soleil, à la 9e heure, c'était un *vendredi*, le jour même où il fut créé et où il mourut, et l'heure à laquelle il mourut était celle à laquelle il sortit du jardin » (p. 116).

C. — Jared mourut le 12 de Takhsas, un *vendredi* (p. 140).

D. — « La mort de Mathusalem eut lieu le 12 de Magabit, un *dimanche* » (p. 150).

E. — Noé apporta dans l'arche le corps d'Adam « un *vendredi*, à la 2e heure, le 27 du mois de Gembot » (p. 153).

Le même vendredi, embarquement général dans l'arche, successivement à la 3e, 6e et 9e heure (p. 154).

F. — Noé sortit de l'arche « le 27e jour du mois de Gembot, un *dimanche* » (p. 158).

G. — « Noé mourut un *mercredi*, le 2e jour du mois de Gembot, sur la montagne où était l'arche » (p. 163).

On peut joindre la seule date qui soit donnée avec numéros de jour et de mois : « Le 1er jour du XIe mois furent vus les hauts des montagnes » (p. 157); 1/XI = vendredi. C'est le texte des LXX en Gen. **8,** 5. T. M. et Jubilés portaient 1/X mercredi

Dans ces dates se marque cette fois la prépondérance du vendredi (ABCE), avec insistance sur la division en heures liturgiques, évidemment en souvenir du vendredi de la passion. Adam meurt un vendredi, à la 9e heure (B), en vertu d'une raison typologique; tout au long du livre Adam annonce le Christ à venir. Notons la mention de l'épacte, c'est-à-dire de l'intercalation qui permet de rattraper le cycle solaire. L'idée qu'Adam sortit du paradis le jour même où il y fut introduit se retrouve ailleurs (n. Malan, p. 211), mais ce n'est pas la tradition des *Jubilés* qui font sortir Adam du paradis un mercredi, plusieurs années après y être entré (Jub. **3**, 32).

En E, tout le monde est entré dans l'arche la veille du sabbat; il est probable que c'était déjà l'interprétation des Jubilés (1).

Texte F : dans les Jubilés, Noé sortait de l'arche le 1/III, également un dimanche, début de la semaine (Jub. **6**, 1). Ici ce dimanche est le 27 du mois de Gembot, ce qui correspond bien à F (mercredi 2) mais non à D où la même date représente un vendredi; dans le système de l'auteur, la même date du mois ne correspond donc pas au même jour de la semaine (2).

Il existe également dans cet apocryphe une curieuse numérotation des jours qui part du *vendredi* où

---

(1) Jub. **5**, 23; cf. plus haut n. 1, p. 35-36.

(2) M. Grelot me signale avec obligeance que plusieurs des dates ci-dessus, si l'on traduit en numéros les noms des mois, coïncident exactement avec le tableau de conversion en jours de la semaine. Ce sont B : 15 Bermudah = 15/VIII = Vendredi. D : 12 Magabit = 12/VII = Dimanche. E : 27 Gembot = 27/IX = Vendredi. Il semble qu'une erreur se soit glissée pour F et G. Quant à C : 12 Takhsas = 12/IV = Dimanche (non Vendredi, comme dans le texte).

Adam et Eve sont sortis du jardin. Les jours mis en relief le sont pour des raisons chrétiennes, mais l'impression que nous laisse cette lecture est que l'interprétation chrétienne s'est superposée à des données d'origine juive; les chiffres parfois interfèrent et la numérotation n'est pas exempte de confusion. Voici les exemples les plus marquants; c'est nous qui traduisons les numéros en jours.

Le 3e jour après la sortie du jardin — donc *dimanche* — Dieu donne à Adam un témoignage à cause des trois jours que le Seigneur devait rester dans le sein de la terre (p. 33). Le 43e jour — donc *vendredi* — Adam supplie Dieu de lui pardonner, mais ces 43 jours ne rachèteront pas l'heure où il a péché (p. 36-42). *Cinquante* jours s'écoulent depuis la sortie du jardin — donc jusqu'au *vendredi* inclus — alors Adam et Eve doivent passer trois jours et trois nuits sous un rocher pour figurer le séjour dans le tombeau (p. 55-57). Le 92e jour après la sortie du jardin — donc un *vendredi* — vers la fin de ce jour, Adam offre un grand sacrifice sur lequel descend l'Esprit-Saint (p. 82). Suit une nouvelle pentécontade — scandée par les sacrifices du *mercredi*, du *vendredi* et du *dimanche* — qui s'achève sur l'offrande du 1er jour *(dimanche)* qui est aussi le 50e (p. 83) et « en ce premier jour qui est la fin des sept semaines et qui est le 50e jour » Dieu guérit Adam blessé par Satan (p. 84).

On aura remarqué les *deux pentécontades* et surtout l'importance du *92e jour* qui, dans les Jubilés, est le jour qui recommence un nouveau quart d'année (1er jour du trimestre). Seulement dans cette adaptation chrétienne, le 92e jour — dont s'est perdu le sens primitif — n'est plus le mercredi, mais le vendredi. Le sacrifice offert par Adam vers la fin de ce jour figure naturellement celui du Calvaire. Plus loin se présentera l'occasion de revenir à ce texte. Pour l'instant notons seulement l'importance des trois jours de synaxe : mercredi, vendredi, dimanche, tout au long de la pentécontade.

Ces recoupements si frappants avec le livre des Jubilés sont d'autant plus intéressants qu'ils ne trahissent pas d'influence littéraire directe (1), mais c'est le même milieu de pensée : *l'histoire est liturgie*. Or, cette liturgie est précisément celle du lointain calendrier sacerdotal, mais avec glissement du mercredi au vendredi, car *le centre en est désormais le Christ* annoncé par tous les événements de l'histoire sainte. Nous sommes donc à la fois en présence d'une continuité et d'une transposition. Mais d'autres textes vont confirmer cette mentalité commune dans le christianisme primitif. Cette fois les jours liturgiques seront projetés sur la vie du Christ.

Le *Synaxaire arménien de Ter Israel* présente la tradition suivante à la date du 6 janvier :

« Trente ans après, en ce même jour du 6 janvier, un jour de dimanche, Jésus vint au Jourdain pour être baptisé par Jean ; il est *né* en effet un jeudi soir, à l'heure où pointait le *vendredi*, jour où fut créé Adam ; il fut *annoncé* le *mercredi* et fut *baptisé* le *dimanche*, jour de la création et de la résurrection (2) ».

(1) Des bribes de traditions apparentées ont dû être conservées — incomprises — dans la *Chronographie* de G. le Syncelle. On y trouve par exemple que Dieu fit entrer Adam dans le paradis un mercredi (éd. Dindorf; t. I, p. 8). D'autres dates ont visiblement souffert de transmissions défectueuses ou sont de formation secondaire.

(2) *P. O.*, t. **18,** p. 195.

La naissance du Christ est rapportée au vendredi; la raison en est clairement indiquée : le nouvel Adam naissait le jour même où fut créé le premier homme; le *Livre d'Adam et d'Eve* nous avait habitués à ces interférences de symbolismes.

Le *Livre arménien de l'enfance* situe aussi l'*Annonciation* au *mercredi*. Mais il est remarquable que ce mercredi soit le mercredi 15 Nisan (1). Il s'agit évidemment du jour de la Pâque. Si l'on songe que, dans le calendrier officiel, la Pâque ne pouvait jamais tomber un mercredi, il est difficile de ne pas voir là un souvenir du calendrier sacerdotal ancien.

Une autre tradition, fort ancienne, situe *la naissance du Christ* au *mercredi*. C'est celle d'Hippolyte dans son *Commentaire sur Daniel*. Le texte en a été fort discuté, non pour le jour de la semaine, mais pour la date du 25 décembre qui paraît retouchée; la date ancienne serait un mercredi du début d'avril (2). Cette dernière date, qui place au printemps la naissance du Christ, est d'autant plus vraisemblable qu'Hippolyte conservait sur la naissance du Christ une tradition sacerdotale (3). Or, dans les *Jubilés*, Lévi lui-même, et dans les *Testaments*, son fils Caath étaient nés le 1/I, donc un mercredi; ce 1/I doit représenter la date idéale de la création du soleil au début du printemps, en conformité avec le symbolisme solaire appliqué au Messie sacerdotal (4).

(1) Amiot, *Évangiles apocryphes*, Paris, 1952, p. 81.
(2) *In Dan.* IV, 23. Voir la discussion textuelle en *G. C. S.* **1** (1897) pars 1, p. 242. Cf. *D. A. C. L.*, t. XII (1), 909-910.
(3) Cf. Mariès, « Le Messie issu de Lévi chez Hippolyte de Rome », *R. S. R.* XXXIX (1951), *Mélanges Lebreton* I, p. 381-396.
(4) Cf. plus haut, n. 1, p. 57.

La liturgie chrétienne, qui plaça finalement l'Annonciation à l'équinoxe du printemps (25 mars), devait réserver à la naissance du Christ un autre symbolisme solaire, celui du solstice d'hiver (25 décembre). Mais l'analogie d'un texte formel du *De Pascha Computus* sur la date de la Nativité porte à penser que le printemps représente une tradition très ancienne. On se rappelle que pour le *De Pascha Computus*, lune et soleil ont été créés le mercredi V des Calendes d'avril (= 28 mars) (voir App. III) :

> « Oh, qu'elle est admirable et divine la Providence du Seigneur : au jour où fut créé le soleil, en ce jour est né le Christ, le *mercredi* V des calendes d'avril. C'est à juste titre que le prophète Malachie disait au peuple : Il se lèvera pour vous, le soleil de justice (1) ».

L'enthousiasme de l'auteur ne s'explique que par une tradition antérieure. Or, cette tradition paraît directement découler de la date de naissance du Messie, fils de Lévi, dans les *Testaments des XII Patriarches* et dans les *Jubilés*. Elle s'explique par l'importance donnée au mercredi 1/I du début du printemps dans le calendrier sacerdotal. On n'oubliera pas que, dans ce calendrier, la date du 1/I est celle de l'érection du tabernacle, celle où Aaron et ses fils furent oints, consacrés et revêtus du souverain sacerdoce (Ex. **40,** 1-17). En Nb. **33,** 38 cette même date est celle de la mort d'Aaron d'après la version syriaque. Cette date, sainte par excellence qui introduisait l'année, choisie volontairement par le prêtre Esdras et son cortège sacerdotal pour monter

---

(1) *De Pascha...* ch. 19 (*C. S. E. L.* **3,** 3, p. 266).

de Babylone (Esd. **7,** 9) (1), était tout indiquée pour être mise en rapport avec le souverain sacerdoce. Nous saisissons là comme une véritable filière qui part du code sacerdotal et aboutit à un symbolisme christologique.

Les rapprochements qui viennent d'être signalés n'ont pas la prétention d'être exhaustifs (2). Mais ces exemples suffisent à prouver une *continuité certaine* entre le christianisme primitif et les milieux juifs qui pratiquaient le calendrier sacerdotal ancien.

Cependant, cette continuité des jours liturgiques n'est pas le seul signe d'un passage du rituel sacerdotal ancien au rituel chrétien. La coutume des *Quatre-Temps* dont les origines sont si obscures peut s'expliquer par la division du calendrier ancien en quatre saisons.

La *Pentecôte* est fixée au dimanche dans la liturgie chrétienne comme dans le calendrier ancien. Sans doute peut-on dire que, l'année de la mort du Christ, la Pentecôte officielle tombait aussi un dimanche puisque la Pâque officielle avait eu lieu un samedi. Mais ce qui est frappant dans la liturgie chrétienne, c'est précisément la préférence accordée au jour de la semaine contre le jour du mois lunaire. D'ailleurs le calcul de la fête de la Pentecôte dans le christianisme soulève une nouvelle question. En effet la

(1) Il est assez curieux de noter que le jour d'arrivée du cortège est également celui de la mort d'Aaron dans le T. M. 1/V (vendredi).

(2) Cf. cette curieuse addition insérée dans un des manuscrits d'un fragment publié par Haussleiter et attribué par lui à un *Commentaire sur Matthieu* de Victorin de Pettau : « feria VI annunciatus, feria I natus, feria V baptizatus, feria VI passus » *C. S. E. L.* **49** (1916), p. xxiii.

Pentecôte chrétienne est calculée à partir du dimanche de Pâques, c'est-à-dire — en remontant au calendrier juif — à partir du sabbat intérieur à l'octave de la Pâque, alors que suivant le comput des Jubilés elle serait célébrée huit jours plus tard. Ceci paraît dû à l'influence du calendrier officiel.

La fête de *Pâques* pose un problème analogue. En effet la Pâques chrétienne est fixée au dimanche — prépondérance du jour de la semaine sur le quantième du mois — mais ce dimanche dépend de la lune pascale, ce qui n'existait pas dans le calendrier ancien, du moins sous la forme où nous le connaissons (cf. App. III). Là encore le christianisme pouvait hériter d'une forme atténuée du calendrier ancien.

Il faut par ailleurs souligner la préoccupation des auteurs ecclésiastiques que la fête de Pâques tombe toujours après l'équinoxe du printemps, comme les anciens Juifs, disent-ils, qui suivaient « un commandement divin » en immolant la Pâque après l'équinoxe (1). Des anathèmes vigoureux sont prononcés contre ceux qui célébreraient la Pâque avant l'équinoxe, « comme les Juifs », évidemment les Juifs contemporains (2). Ces pointes polémiques ne peuvent s'expliquer que par la pratique juive des douze mois lunaires avec mois supplémentaire intercalaire. Lorsque le XIIIᵉ mois n'était pas intercalé à temps, le 15 Nisan risquait de tomber avant l'équi-

(1) *Chronicon Pascale*, éd. Dindorf, Bonn, 1832 I, p. 6-7 (fragment de Pierre d'Alexandrie); Socrates, *H. E.* **5,** 22 (*P. G.* **67,** 629).

(2) *Les* 127 *canons des Apôtres*, *P. O.*, **8,** 666; texte parallèle dans *Octateuque de Clément*, livre VIII, trad. Nau (*Le Canoniste contemporain* XXXVI (1913), p. 85).

noxe du printemps. Sur ce point, les chrétiens avaient donc conscience d'avoir conservé la coutume ancienne fondée sur l'observation de l'équinoxe du printemps.

Enfin la *querelle pascale* de la fin du IIe siècle s'éclaire d'un jour nouveau par la connaissance du calendrier à jours fixes. En effet, pour les Asiates d'Asie Mineure, la célébration de la fête de Pâques devait s'effectuer suivant le quantième du mois lunaire, quel que fût le jour de la semaine où il tombât. Pour Rome et les autres églises, la date traditionnelle était celle du dimanche. *Le jour de la semaine contre le jour du mois lunaire :* c'était déjà l'opposition qui existait en plein judaïsme entre les deux calendriers.

Les évêques d'Asie Mineure citaient avec émotion les autorités qui garantissaient le caractère vénérable et antique de leur tradition, parmi lesquelles Polycarpe et Jean [1]. Ils s'appuyaient donc sur la tradition johannique, qui, — nous aurons l'occasion d'expliquer cette apparente anomalie, — mentionne seulement la Pâque officielle. Les autres églises au contraire, suivaient l'usage du dimanche en vertu, dit Eusèbe, d'une tradition apostolique [2]. Il suffit de lire effectivement les lettres d'évêques citées par Eusèbe pour se convaincre de l'antiquité de la tradition pascale au dimanche. Les évêques de Palestine témoignent

« d'une tradition venue jusqu'à eux par la succession des apôtres en ce qui concerne la fête de Pâques »

_____

[1] Eusèbe, *H. E.* V **24,** 1 suiv.
[2] *Ibid.,* **23,** 1.

et affirment que « ceux d'Alexandrie célèbrent Pâques le même jour » (1).

Cet accord des trois églises de Palestine, Alexandrie et Rome, auxquelles il faut joindre, selon Eusèbe, le Pont et l'Osroène (3), ne laisse pas d'être impressionnant. D'où vient cet accord, sinon de la célébration pascale primitive au jour fixe du dimanche?

Cette querelle est très éclairante pour montrer précisément quels étaient les axes fondamentaux de la liturgie chrétienne primitive. Cette liturgie se caractérise par l'adoption des fêtes à jours fixes de la semaine contre la coutume des jours mobiles, propre au calendrier officiel. D'autre part elle s'oppose formellement à ce dernier calendrier en conservant les trois jours fondamentaux du calendrier ancien. C'est donc que dans le milieu juif d'où sort le christianisme primitif, était prépondérante la pratique du calendrier ancien.

Ainsi se soulève la question qui intéresse au premier chef les origines chrétiennes : dans quel *milieu juif* le christianisme primitif s'enracine-t-il? L'opposition de calendrier avec les autorités juives de la nation ne peut que confirmer le conflit signalé à chaque page de l'évangile. D'autre part, le calendrier sacerdotal ancien était conservé à Qumrân. Il y avait donc des affinités certaines, au moins d'origine, entre la communauté des disciples et les milieux

_____

(1) *Ibid.* **25.** Pour la tradition romaine, Irénée cite jusqu'à Sixte les papes qui ont observé la Pâque du dimanche; cela ne veut pas dire que la tradition ne remontait pas plus haut, mais Irénée, auditeur de Polycarpe, donnait sans doute priorité à la tradition asiate (*H. E.*, V **24**, 14 suiv.).

(2) *Ibid.* **23**, 3.

qumraniens et esséniens. Ceci s'accorde avec les rapprochements nombreux déjà établis par des spécialistes qualifiés entre le christianisme primitif et le milieu de Qumrân.

Mais sur ce point — pour l'instant — la question de calendrier n'apporte pas autant de lumière qu'on aurait pu l'espérer. En effet, l'opposition du calendrier à jour fixes et du calendrier à jours mobiles a dû constituer un fossé profond entre les milieux officiels et... les autres. Mais, chez ces derniers, nous gnorons dans quelle mesure il existait des formes mitigées qui tendaient à se rapprocher des phases lunaires et du calendrier officiel. Jusqu'ici, les documents conservés à Qumrân et l'analogie des Jubilés révèlent seulement un calendrier intégralement « orthodoxe », pour ne pas dire intégriste. Un texte d'Épiphane, qui fait allusion à des querelles de calendrier entre sectes juives, déclare que

« les Esséniens avaient persévéré dans la première façon de faire sans rien ajouter » (1).

(1) *Panarion* **10** (*G. C. S.* **25,** éd. Holl; I, p. 203, l. 20). Cette intéressante remarque est le seul renseignement clair que présente sur ce point Épiphane; les notices suivantes (*Pan.* **11-12**), en y joignant l'*Anakephalaeosis* du livre I (éd. Holl I, p. 166, l. 20-25), ont un caractère embrouillé, parfois contradictoire. Dans le passage cité, Épiphane assimile les Esséniens à des Samaritains. C'est une vue qui a pu étonner, mais qu'il faut se garder de négliger, étant donné les affinités d'origine qu'on discerne toujours davantage entre Qumraniens et Samaritains. Aux parentés déjà signalées — fête des Semaines célébrée un dimanche, préceptes communs aux *Jubilés* et aux Samaritains, chronologie samaritaine dans l'*Apocalypse de Noé* (cf. MARTIN, *Hénoch*, Paris, 1906, n. p. 278-279) — il faut joindre les renseignements tirés des documents de Qumrân : prononciations samaritaines (*V. T.* III, p. 310-311),

Cependant si l'on envisage l'ensemble du mouvement essénien qui a dû être fort complexe, il n'est sans doute pas impossible qu'on trouve certaines adaptations (cf. App. III).

En ce qui concerne le christianisme primitif — sans parler des caractéristiques propres au groupe apostolique et de leurs rapports avec le Temple — l'absence d'allusions chez les auteurs chrétiens au calendrier de 364 jours; le calcul de la Pentecôte à partir du sabbat intérieur; la liaison qui paraît absolument primitive de la fête de Pâques avec les phases lunaires, tout cela porte à penser que le christianisme avait hérité d'une *forme mitigée de calendrier;* forme qui pouvait remonter fort loin, à des types intermédiaires précédant la rupture avec le milieu des Jubilés. Le problème est ici complexe, car, si bien des écrits proprement qumraniens n'ont pas trouvé droit de cité dans le christianisme, il est sûr que ce sont des mains chrétiennes qui nous ont transmis le livre des Jubilés; des partisans de ce livre sont donc devenus chrétiens. Si l'on pense, par ailleurs, à la multiplicité d'apocryphes juifs conservés par le christianisme, on se rend compte de la variété et de l'importance des milieux juifs qui ont trouvé accueil dans le grand mouvement chrétien. Aussi, à moins de découvertes nouvelles, dans ces questions de comparaison, la priorité demeure aux rapprochements littéraires entre les textes.

Mais, pour notre propos, l'essentiel reste acquis. C'est la *continuité fondamentale entre le calendrier juif*

accords avec la recension samaritaine (cf. SKEHAN, sur 4Q Exᵃ en *J. B. L.* LXXIV (1955), p. 182-187; CROSS, sur 4QNumᵇ en *R. B.* LXIII (1956), p. 56).

à jours fixes et le calendrier chrétien, quelles qu'aient pu être par ailleurs les adaptations lunaires. On connaît la permanence des formes liturgiques. Le groupe apostolique conserva les jours vénérables qui lui étaient légués par l'antique calendrier sacerdotal en reportant sur eux une signification nouvelle. Mais alors une conséquence s'impose immédiatement : si le milieu juif qui donna naissance au christianisme célébrait les fêtes à jours fixes, il célébrait donc la Pâque au mercredi et le repas pascal au mardi soir.

Il faut avouer que ce serait alors une singulière exception si le repas autour duquel tourne toute la liturgie chrétienne, la dernière Cène de Jésus, avait été célébré précisément en désaccord avec les principes fondamentaux de cette liturgie, en marge du grand mouvement continu qui fait passer une liturgie à l'autre ; pour la communauté primitive il représente l'acte central à valeur normative. Si le milieu des disciples de Jésus usait du calendrier à jours fixes, *comment Jésus lui-même aurait-il célébré la Pâque un autre jour que le mardi soir ?* Telle est la conclusion qui jaillit d'elle-même en face de ces continuités de calendrier.

DEUXIÈME PARTIE

UNE TRADITION PATRISTIQUE

CHAPITRE I

LES TÉMOIGNAGES

Les textes les plus importants qui témoignent d'une tradition de la Cène au mardi soir se trouvent dans la *Didascalie* (1). Dès la découverte de cet ouvrage, les critiques y ont vu un document de premier ordre pour la connaissance de l'Église ancienne. La Didascalie est conservée en syriaque. La fidélité du texte syriaque est heureusement attestée par la comparaison avec une traduction latine fragmentaire. On situe la composition de la Didascalie au iiie siècle, au début du siècle si l'on admet quelques interpolations (2). Galtier glisse même, à l'occasion, la date du iie siècle; de même Charles (3).

(1) Textes : LAGARDE, *Didascalia Apostolorum Syriace*, Leipzig, 1854; GIBSON (Margaret), *The Didascalia Apostolorum in Syriace edited from a Mesopotamian Manuscript*, Cambridge, 1903. Traductions commentées : ACHELIS-FLEMMING, *T. U.* XXV, 2 Leipzig, 1904 (allemand). FUNK, *Didascalia et Constitutiones apostolorum*, t. I, Paderborne, 1906 (latin). NAU, *La Didascalie*, Paris, 1912 (2e éd.) (français). CONNOLLY, *Didascalia Apostolorum*, Oxford, 1929 (anglais).

(2) Cf. NAU, p. xxi; CONNOLLY, p. xc. GALTIER, « La date de la Didascalie des Apôtres », *R. H. E.* XLII (1947), p. 315-351.

(3) CHARLES, *Apocrypha...* I, p. 613. GALTIER, *ibid.*, p. 348 : « L'atmosphère générale dans laquelle semble se mouvoir la

La Didascalie appartient à ce groupe d'écrits anciens qui renferment des recommandations morales et des réglementations ecclésiastiques, mises en général sous le nom des douze apôtres : *Didaché*, *Octateuque de Clément*, *Canons d'Hippolyte*... Sous sa forme grecque, la Didascalie a été utilisée par les *Constitutions apostoliques*. Comme ces écrits apparentés, la Didascalie représente une compilation où ont été insérés des documents plus anciens, telle la *Prière de Manassé*, d'origine juive, dont la Didascalie est le premier témoin. Les sémitismes ne manquent pas dans la Didascalie (1). Déjà bien des critiques avaient été frappés des attaches judéochrétiennes de cet ouvrage qui précisément lutte contre les tendances judaïsantes (2). Il faudra certainement reprendre l'étude de cette composition à la lumière des récentes découvertes. Un peu partout se trahissent des affinités littéraires avec des milieux juifs de sensibilité sacerdotale (3).

Le chapitre 21, qui nous intéresse spécialement, présente un caractère particulier. Les exhortations morales du début sont dans le ton général de l'ouvrage,

communauté... ressemble plus à celle du second siècle qu'à celle de la fin du troisième. »

(1) Cf. comparaison de la diaconesse et du Saint-Esprit qui est du féminin en sémitique.

(2) Cf. Schoeps, *Theologie und Geschichte des Judenchristentums*, Tubingue, 1949, p. 61-63.

(3) Outre les nombreuses citations de textes « sacerdotaux » : Ézéchiel et les Nombres, voir la doctrine de l'Église-sanctuaire qu'il ne faut pas laisser souiller, l'insistance sur le sacerdoce d'Aaron et le rôle des Lévites, les réglementations des assemblées (éd. Nau, p. 112-115), la lutte contre les judaïsants qui craignent de perdre « l'Esprit saint » à cause d'impuretés rituelles (*ibid.*, p. 213-220).

mais voici qu'à propos de la discipline du jeûne sont insérés des textes narratifs sur la Passion où est exposée une chronologie de la semaine de la Passion qui place la Cène au mardi soir, l'arrestation dans la nuit du mardi au mercredi, le crucifiement étant toujours fixé au vendredi.

Il est nécessaire de donner un large aperçu de ce chapitre; ce sont les apôtres qui sont censés parler (1).

Didascalie. Chapitre 21 :

X-XII, 5. — [Il n'est pas permis au chrétien de jurer ou de prononcer des paroles vaines ou impures; qu'il ne sorte de sa bouche que des bénédictions] « surtout aux jours de la Pâque où jeûnent tous les fidèles du monde entier »...

XIII. — « Aussi, quand vous jeûnez, priez et implorez pour ceux qui ont péri, comme, nous aussi, nous l'avons fait quand notre Sauveur a souffert.

XIV. — « Lorsqu'il était encore avec nous avant sa passion, au moment où nous mangions la Pâque avec lui, il nous dit : Aujourd'hui, cette nuit même, l'un de vous me livrera; et chacun de nous lui disait : sera-ce moi, Seigneur? Il répondit et nous dit : C'est celui qui tend sa main avec moi dans le plat. 2. Et Judas Iscariote, qui était l'un de nous, se leva pour le livrer. 3. Alors notre Seigneur nous dit : En vérité. je vous le dis, encore un peu et vous m'abandonnerez, car il est écrit : je frapperai le pasteur, et les brebis de son troupeau seront dispersés. 4. Judas vint avec les scribes et avec les prêtres du peuple et il livra notre Seigneur Jésus. Ceci eut lieu le

(1) Les divisions sont celles de l'édition Nau dont nous suivons en général la traduction. Les jours de la semaine sont désignés, pour plus de commodité, par leurs noms modernes, et non par leur numéro comme dans le syriaque où le mercredi est appelé le 4ᵉ jour de la semaine. Les résumés du texte sont entre crochets.

mercredi. 5. Après avoir mangé la Pâque, le *mardi soir*, nous allâmes à la montagne des Oliviers, et, dans la nuit, ils prirent notre Seigneur Jésus. 6. Le jour suivant, qui est le *mercredi*, il fut gardé dans la maison du grand prêtre Caïphe; ce même jour, les princes du peuple se réunirent et tinrent conseil à son sujet. 7. Le jour suivant qui est le jeudi, ils le conduisirent au gouverneur Pilate, et il fut gardé chez Pilate la nuit qui suivit le jeudi. 8. Au matin du vendredi, ils l'accusèrent beaucoup devant Pilate, et ne purent rien démontrer de vrai, mais ils produisirent contre lui de faux témoignages, et ils le demandèrent à Pilate pour le mettre à mort. 9. Ils le crucifièrent ce même vendredi, il souffrit donc le vendredi pendant six heures. Ces heures, durant lesquelles notre Seigneur fut crucifié, sont comptées pour un jour. 10. Il y eut ensuite trois heures d'obscurité, (ces heures) sont comptées pour une nuit. Puis, de la neuvième heure jusqu'au soir, il y eut trois heures de jour; vint ensuite la nuit du samedi de la passion... 12. Et encore le jour du samedi, et ensuite trois heures de nuit après le samedi, durant lesquelles notre Seigneur dormit (et ressuscita). 13. Ainsi fut accomplie la parole : il faut que le fils de l'homme passe trois jours et trois nuits dans le sein de la terre, comme c'est écrit dans l'évangile. Il est encore écrit dans David : voilà que tu as disposé les jours avec mesure. C'est écrit ainsi, parce que ces jours et ces nuits ont été diminués. »

XIV, 14-17. — [Dans une apparition à ses disciples, Jésus a demandé qu'ils jeûnent les mercredi et vendredi, mais ils ne jeûneront pas le dimanche qui ne sera pas compté dans les jours de jeûne de la passion; pendant le temps de la passion, ils jeûneront du lundi au samedi soir].

XIV, 18. — ... « Vous jeûnerez pour eux (pour les Juifs) le mercredi, parce que c'est le *mercredi* qu'ils commencèrent à perdre leurs âmes et qu'ils m'arrêtèrent. 19. La nuit qui suit le mardi appartient au mercredi,

comme il est écrit : il fut soir et il fut matin, un jour;
le soir appartient donc au jour suivant. 20. Le *mardi soir*,
j'ai mangé ma Pâque avec vous, et, durant la nuit, ils
me prirent... 21. Et, le vendredi, jeûnez pour eux, parce
que, en ce jour, ils m'ont crucifié... »

XIV, 22-XVI, 8. — [Jeûnez et pleurez pour les Juifs,
car ce peuple n'a pas cru dans le Seigneur] « C'est pourquoi priez et implorez pour eux, surtout aux jours de la
Pâque, afin que, par vos prières, ils soient jugés dignes
de pardon et qu'ils se tournent vers notre Seigneur
Jésus-Christ.

XVII. — 1. Il vous faut donc, nos frères, aux jours
de la Pâque, rechercher avec soin et faire votre jeûne
avec la plus grande attention. Commencez lorsque vos
frères du peuple (juif) font la Pâque, parce que, quand
notre Seigneur et Maître mangea la Pâque avec nous, il
fut livré par Judas après cette heure, et aussitôt nous
commençâmes à être affligés parce qu'il fut emmené de
près de nous. 2. Au nombre de la lune — nous le comptons
comme le font les hébreux fidèles — le dixième, le lundi,
les prêtres et les vieillards du peuple se réunirent et
vinrent dans l'atrium du grand prêtre Caïphe; ils tinrent
conseil pour prendre Jésus et le tuer, mais ils craignirent
et dirent : Pas un jour de fête, de crainte que le peuple
ne s'agite; parce que tout le monde l'exaltait... » [Judas
cherche une occasion de livrer Jésus]...

6. « A cause des foules de tout le peuple (juif), de
toute ville et de tout bourg, qui montaient au temple
pour faire la Pâque à Jérusalem, les prêtres et les vieillards réfléchirent, ordonnèrent et établirent qu'ils feraient
aussitôt la fête afin qu'ils pussent le prendre sans tumulte.
Les habitants de Jérusalem vaquaient à l'immolation et
au repas de la Pâque et le peuple du dehors n'était pas
encore arrivé parce qu'ils changèrent les jours au point
d'en être réprimandés par Dieu (qui leur dit): Vous vous
trompez en tout. 7. Ils firent donc la Pâque trois jours
plus tôt, au onzième jour de la lune, le *mardi*; car ils

disaient : tout le peuple erre à sa suite; maintenant que
nous en avons l'occasion, nous le prendrons, et quand tout
le peuple viendra, nous le mettrons à mort en public
afin que ce soit clairement connu, et tout le peuple se
détournera de lui.

8. « Ainsi dans la nuit qui commence le *mercredi*,
Judas leur livra Notre Seigneur; ils lui avaient donné
la récompense le dix de la lune, le lundi. Aussi, Dieu les
traite comme s'ils l'avaient pris dès le lundi, parce que
c'est le lundi qu'ils songèrent à le prendre et à le tuer,
et c'est le vendredi qu'ils accomplirent leur mauvaise
(action) comme Moïse l'avait dit au sujet de la Pâque :
Vous le garderez depuis le dixième jour jusqu'au quatorzième et alors tout Israël sacrifiera la Pâque. »

XVII-XX, 9. — [Jeûnez donc durant les jours de la
Pâque à partir du lundi, surtout les vendredi et samedi,
mais soyez heureux le jour de la résurrection] 10. « Obser-
vez le quatorzième jour de la Pâque, partout où il tombera,
car le mois et le jour ne tombent pas au même moment
tous les ans, mais à des moments différents. Vous donc,
quand ce peuple (juif) fait la Pâque, jeûnez. »

A simple lecture, ce chapitre apparaît comme un
amalgame assez peu homogène. Ce caractère a frappé
les critiques, même Connolly qui tient pour l'unité
d'auteur de la *Didascalie*, et reconnaît pourtant
*much confusion of thought and treatment in this
chapter* (p. xxxii).

Ainsi, la recommandation d'observer le 14e jour
de la Pâque partout où il tombera, quel qu'en soit
le jour et le mois (XX, 10), apparaît contradictoire
avec le principe du jeûne du lundi au samedi, qui
suppose pour la résurrection le jour fixe du dimanche.
On peut, il est vrai, expliquer cette incohérence en
admettant que la Pâque juive servait seulement
d'indication pour le choix de la semaine où tomberait

la Pâque chrétienne fixée au dimanche (1); il est toujours délicat de discerner des points de suture entre les documents utilisés, surtout quand un rédacteur s'est efforcé de les fondre et de les harmoniser. Cependant, il reste d'innombrables redites et reprises sur les jeûnes et la préparation de la Pâque (2). Il reste surtout — et c'est le point qui nous intéresse — trois mentions de la chronologie de la Passion situées dans des contextes différents (3).

Le premier récit (XIV, 1-13) paraît former un tout, dont la préoccupation maîtresse est de justifier l'assertion des trois jours et des trois nuits dans le sein de la terre; de là, une singulière exégèse des ténèbres du vendredi. Les trois jours d'emprisonnement n'ont rien à voir avec cette exégèse, ils n'ont donc pas été inventés pour les besoins de la cause. Il ne paraît même pas que, dans la forme actuelle du récit, ils aient été imaginés pour justifier le jeûne du mercredi, car la facture du récit fait songer bien davantage à un tout organique, primitivement indépendant, inséré par l'auteur pour justifier après coup la discipline du jeûne.

Le deuxième passage (XIV, 18-21) se présente sous une forme littéraire différente, puisqu'il est contenu dans un discours de Jésus à ses disciples. Cette fois, le jeûne du mercredi est nettement mis en rapport avec l'anniversaire de l'arrestation de Jésus. Le texte se soude assez mal à une recommandation précédente, qui vise un jeûne commençant

(1) Cf. CONNOLLY, p. 192, note.
(2) XIX, 1; XIX, 6-7 et XX, 9; XIV, 15-16 et XX, 11-12; XIV, 17; XVIII, 1 et XIX, 6.
(3) XIV, 4-9; 18-20; XVII, 7-8. Il faut ajouter l'allusion de XIX, 2, qui porte sur « le martyre de trois jours souffert par le Seigneur ».

au lundi. Il est visible que deux traditions diffé-
rentes sont ici combinées et, comme le jeûne de la
semaine entière de la Passion est postérieur au jeûne
primitif du mercredi et du vendredi (*Didaché*, **8,** 1),
la plus ancienne des deux traditions doit être celle
qui contient la chronologie des 3 jours de la Passion.

Le troisième récit (XVII) apparaît comme un
développement complètement nouveau après la
conclusion du paragraphe précédent (1). Il reprend
toute la semaine de la Passion dans une perspective
différente, cette fois en insistant sur le début du
jeûne au lundi, jour du choix de l'agneau pascal et
de la trahison de Judas. La date du mardi soir pour
la Cène n'a plus ici aucune raison d'être; bien plus,
elle paraît embarrasser singulièrement l'auteur puisqu'il est obligé d'inventer une explication appropriée :
c'est que les prêtres et les anciens de Jérusalem,
pour se saisir plus facilement de Jésus, ont brusquement avancé la célébration de la Pâque! Il est
clair que l'auteur se trouve ici devant une chronologie qui lui est imposée par une tradition antérieure.
Tout se passe comme si le rédacteur du chapitre
avait recueilli et amalgamé les variations diverses
d'une même tradition, au moins celles du premier
et du second récit (2).

La critique interne du chapitre, à elle seule, nous
amène donc à discerner trois récits dont les deux pre-

---

(1) Cf. HOLL, « Ein Bruchstück aus einem bisher unbekann-
ten Brief des Epiphanius », dans *Gesammelte Aufsätze zur
Kirchengeschichte*, t. II, Tubingue, 1927, p. 211.

(2) Notons au passage l'allusion à une *querelle de calendrier*
entre Juifs (XVII, 2) et l'accusation portée contre ceux qui
« changent les jours » (XVII, 6), exactement : « induisent les
jours en erreur ».

miers sont plus anciens et représentent eux-mêmes deux aspects du même thème. La tradition d'une Cène au mardi soir est donc *antérieure* à la composition de la Didascalie. Or, cette conclusion se trouve confirmée par des témoignages externes, car ce chapitre de la Didascalie n'apparaît pas comme un monolithe complètement isolé dans l'ensemble de la tradition chrétienne.

Considérons d'abord *le cas d'Épiphane* qui partage sur la date de l'arrestation de Jésus la même opinion que la Didascalie (1). Épiphane connaît fort bien la Didascalie puisqu'il la cite plusieurs fois et parle longuement de la secte des Audiens qui déclaraient suivre les préceptes de la Didascalie au sujet de la célébration de la Pâque (2). On retrouve même chez Épiphane des détails exactement semblables à ceux de la Didascalie (3), ce qui prouve, comme le signale Holl (4), qu'Épiphane a lu la Didascalie dans un texte au moins très proche de notre texte actuel, mais ce qui montre aussi sa dépendance à l'égard de cette source.

Cependant, outre qu'Épiphane ajoute à la Didas-

---

(1) *De Fide*, 22; *Pan*, **51**, 26; *Fragment...*, HOLL, p. 205-206.

(2) *Pan.*, **70**, 10-12; cf. **75**, 6.

(3) La trahison de Judas est placée au lundi, jour de l'achat de l'agneau pascal, 10e jour du mois, selon le symbolisme de la lettre *yod* qui commence le nom de Jésus (*Frag.*, HOLL, p. 205, 8-10; *Pan*, **50**, 3; **70**, 12. Cf. *Didascalie*, chap. 9 : XXVI, 1; chap. 26 : XV, 4; chap. 21 : XIV, 18). Les Juifs ont avancé la Pâque par crainte de la foule (*Frag.*, HOLL, p. 205, 16-21). Il est vrai que, dans le texte assez confus de *Pan.*, **51**, 26, ce serait une erreur de calcul de la part des Juifs.

(4) HOLL, *ibid.*, p. 212.

calie un certain nombre de détails qui lui sont personnels (1), il ne rapporte absolument pas la tradition de la Didascalie comme une explication curieuse,
ou bizarre, ou même douteuse. Il ne cite pas sa
source et reprend à son compte cette chronologie
de la semaine de la Passion, non seulement dans son
traité des Hérésies, mais dans le *De Fide* :

« Le mercredi et le vendredi se passent dans le jeûne
jusqu'à la neuvième heure parce que, alors que le mercredi
commençait, le Seigneur a été arrêté et le vendredi
a été crucifié (2). »

Épiphane connaît pourtant la tradition d'une Cène
au Jeudi Saint, puisqu'il fait allusion, dans le même
passage du *De Fide*, au culte qu'on célèbre « en
certains lieux », dans la semaine de la passion, le jeudi
à la neuvième heure (3). Il connaît même une tradition *mitigée*, puisque, dit-il, certains

« racontent que ce jeudi, vers la neuvième heure, les
apôtres auraient pu rejoindre Jésus en secret, et il aurait
fait, avec eux, seulement la fraction du pain dans sa prison (4) ».

Or, précisément, Épiphane proteste avec force
contre l'idée d'une arrestation dans la nuit du jeudi
au vendredi (5). Pour Épiphane donc, la tradition
fausse est celle de la Cène au jeudi soir, la tradition
certaine est celle du mardi soir.

(1) Cf. *Pan.*, **51**, 26; **50**, 1-2. *Frag.*, HOLL, p. 206, où la
chronologie *intérieure* des trois jours de la Passion contredit
le premier récit de la *Didascalie*.
(2) *De Fide*, 22, *G. C. S.*, **37**, p. 522 (éd. Holl).
(3) *Ibid.*, p. 523.
(4) *Frag.*, HOLL, p. 206, 17-20.
(5) *Frag.*, HOLL, p. 206, 7-8.

L'affirmation est d'importance et ne permet pas de considérer le témoignage d'Épiphane comme un simple doublet de la Didascalie. Non pas qu'on puisse faire confiance au sens critique d'Épiphane qui paraît fort mince; mais précisément cela même est une rare fortune : il tient âprement à une tradition qu'il ne comprend plus. On connaît ses origines palestiniennes et sa vaste information. S'il soutient la date du mercredi, c'est qu'elle était la plus assurée dans le milieu oriental où il vivait. Sa source n'est certainement pas purement littéraire.

Or, la tradition d'une arrestation de Jésus au mercredi se retrouve dans un autre auteur, chez lequel on ne peut discerner aucune influence de la Didascalie, chez *Victorin, évêque de Poetovio en Pannonie*, qui mourut en 304 (1). Dans son petit traité *De fabrica mundi*, Victorin traite des jours de la création, et insiste sur le quatrième jour (mercredi), jour de la création des luminaires qui règlent le cours des saisons. Ce nombre *quatre* possède des propriétés bien remarquables : les quatre éléments, les quatre saisons, les quatre animaux, les quatre évangiles, les quatre fleuves du paradis... et, pour clore cette énumération :

« L'homme Jésus-Christ, auteur des choses que nous avons mentionnées plus haut, a été *arrêté* par les impies *le quatrième jour.* C'est pourquoi nous faisons du quatrième jour un jour de jeûne, à cause de son emprisonnement, à cause de la majesté de ses œuvres, et afin que le cours des saisons amène la santé aux hommes, l'abondance aux moissons, le calme aux intempéries (2) ».

(1) Cf. Holl, p. 212-213.
(2) *Tractatus de fabrica mundi* 3, C. S. E. L. **49** (1916), p. 4 (éd. Haussleiter).

Victorin connaît aussi les jeûnes du vendredi et du samedi, mais il les cite sans aucune référence aux interprétations de la Didascalie. L'emprisonnement de Jésus, le mercredi, jour de la tétrade, lui est légué par une *tradition* absolument *indépendante*, dans un contexte tout différent.

Nous sommes donc obligés de remonter à une tradition commune à Victorin et à la Didascalie, donc antérieure à l'un et à l'autre. Si nous datons la Didascalie du début du ɪɪɪe siècle, cette tradition devait exister *dans le cours du second siècle*. Nous rejoignons ici les résultats de la critique interne.

A ces témoignages il faut ajouter celui du *Livre d'Adam et d'Eve*. Il s'agit d'un passage qui nous a déjà retenus : celui du sacrifice du 92e jour, qui figure celui du Calvaire.

Dieu a accepté le sacrifice et Adam dit à Eve :

« Faisons cela trois fois par semaine, le mercredi, le vendredi et le dimanche (1) tous les jours de notre vie. » Alors le Verbe de Dieu dit à Adam : « O Adam, tu as déterminé à l'avance les jours dans lesquels *les souffrances viendront sur moi*, quand je serai devenu chair, car c'est *le mercredi et le vendredi*. Quant au *dimanche*, j'ai créé en lui toutes choses et j'ai élevé les cieux. Et de nouveau par mon *élévation* en ce jour, je créerai de la joie et élèverai ceux qui croient en moi. O Adam, offre cette oblation tous les jours de ta vie »... Et Adam continua d'offrir cette oblation ainsi, trois fois par semaine, jusqu'à la fin des sept semaines. Et le 1er jour (dimanche) qui

----

(1) Le texte éthiopien porte ici « sabbat » au lieu de « premier jour » (dimanche); mais Dillmann explique que ce mot « sabbat » suivant la coutume ancienne de l'Eglise éthiopienne doit être traduit par « dimanche ». (Dɪʟʟᴍᴀɴɴ, *Das christliche Adambuch...*, n. 45, p. 139).

est le 50ᵉ jour, Adam fit une offrande comme il en avait l'habitude (2).

On ne voit pas comment on pourrait expliquer la mention des souffrances au mercredi en dehors de la tradition du début de la Passion au mercredi. Littérairement l'indépendance est absolue par rapport à la Didascalie et à Victorin de Pettau. Si l'on veut remonter à un milieu commun, étant donné les caractéristiques internes du Livre d'Adam et d'Eve et de la Didascalie, il faut remonter à un milieu *judéo-chrétien*.

(2) Ed. Malan, p. 82-83.

CHAPITRE II

CARACTÈRE
PRIMITIF DE CETTE TRADITION

Avant de connaître le calendrier sacerdotal ancien avec son obligatoire célébration de la Pâque au mardi soir, ces divers témoignages ne pouvaient que provoquer l'étonnement. L'explication la plus pertinente était certainement celle de Holl qui avait constaté que le jeûne du mercredi était lié à l'arrestation de Jésus : on aurait inventé l'arrestation au mercredi pour justifier le jeûne primitif du mercredi. Mais cette solution suppose qu'il n'y avait aucune tradition ferme primitive sur la chronologie de la Passion, car on ne voit pas comment, pour satisfaire une raison de convenance tout à fait secondaire, on aurait inventé la difficulté inextricable de transporter le repas pascal de Jésus trois jours avant la Pâque!

La découverte du calendrier à jours fixes dénoue le problème. Du seul point de vue de la critique des textes, cette tradition ne pouvait remonter qu'à un milieu chrétien d'origine juive. Or, nous savons maintenant que le milieu juif dont l'influence fut prépondérante pour la formation de la liturgie chrétienne célébrait la Pâque au mercredi. Nous sommes

même obligés de dire que — à supposer qu'il n'y
ait eu aucune tradition ferme sur la Passion — les
premiers judéo-chrétiens se devaient de fixer le
repas pascal de Jésus au mardi soir. Telle est désormais la question posée : si cette tradition n'existait
pas, ils devaient l'inventer. Ont-ils projeté sur la
vie de Jésus le rythme de leur propre vie liturgique?
Ont-ils, suivant la méthode chère aux documents
sacerdotaux et aux Jubilés, plié la chronologie de la
Passion à leur conception sacrée de l'histoire?

Il faut avouer que, si cette hypothèse était la
vraie, cette recréation aurait été rapide, car la pratique de la Pâque au mercredi dut être rapidement
éliminée chez les premiers chrétiens par celle du
dimanche. Elle supposerait dans la communauté
primitive une singulière facilité de création sur des
faits contemporains. Mais, enfin, seule la comparaison
avec les récits les plus anciens que nous ayons sur
la Passion pourra trancher la question.

Pourtant se pose auparavant un autre problème :
dans quelle mesure existait-il dans le christianisme
ancien une tradition concurrente du jeudi soir?
Laissons de côté pour l'instant les évangiles et atta-
chons-nous à découvrir dans l'Église ancienne à quel
moment apparaît une tradition de la Cène *à la veille*
de la mort de Jésus.

La première allusion à la Cène est celle de
saint Paul :

« Le Seigneur Jésus, la nuit où il fut livré (ἐν τῇ νυκτὶ
ᾗ παρεδίδετο), prit du pain et, après avoir rendu grâces,
le rompit en disant... » (I Cor. **11**, 23.)

La nuit où il fut livré, telle est l'expression la plus
ancienne qui caractérise la nuit de la Cène; *il n'est*

pas dit : « *La veille de sa mort* ». Ce qui domine, c'est l'idée de l'arrestation et, sans doute aussi, de la trahison. Or, c'est cette formulation primitive que devait reprendre la liturgie la plus ancienne que nous possédions.

Tradition apostolique d'Hippolyte :

« Ton fils... qui, alors qu'il était *livré* à une passion volontaire..., prenant du pain, rendit grâces et dit... (1). »

Testament De Notre-Seigneur-Jésus-Christ :

« Alors qu'il était *livré* à une passion volontaire (2). »

Constitutions apostoliques :

« La nuit où il fut *livré* » (VIII, 12).

Telles sont les formules primitives de la liturgie. L'expression : « la veille de sa mort » ne se rencontre, à ma connaissance, dans aucune liturgie ancienne, alors que c'eût été la formule normale si la liturgie avait suivi une tradition du jeudi. La liturgie romaine a conservé : *pridie quam pateretur*, la veille de sa *passion* (non de sa mort). Quant à une célébration anniversaire du Jeudi Saint, elle n'est pas attestée avant la seconde moitié du IVe siècle (3). Le témoignage d'Épiphane relevé plus haut montre bien vers quelle époque s'était introduit ce culte anniversaire.

Recueillons cependant, malgré son caractère tardif, la source précieuse d'information que constitue le *Journal de voyage* d'Ethérie. La pèlerine décrit

(1) Ed. Dix, p. 8.
(2) Ed. Rahmani, Mayence, 1899, p. 41.
(3) Le IIIe concile de Carthage, en 397, règle le jeûne eucharistique, « excepté au seul jour anniversaire où est célébrée la Cène du Seigneur », chap. 29, éd. Mansi, *Concil. ampl. collectio*, t. III, col. 885. — Cf. *Augustin*, ép. LIV (118), *ad Januarium*, c. 7, P. L. **33**, 204.

les cérémonies de la semaine sainte à Jérusalem, vers l'an 400, environ (1). La commémoration de l'agonie et de la mort de Jésus se fait au Mont des Oliviers et à Gethsémani dans la nuit du jeudi au vendredi (2). Deux détails pourtant à noter : l'oblation du Jeudi Saint au soir, où tous communient, se fait au Golgotha, « derrière la croix », signe que la tradition n'imposait ce soir-là aucun pèlerinage aux lieux où Jésus avait institué l'Eucharistie. D'autre part, les trois premiers jours de la semaine sainte (lundi, mardi, mercredi) se passent à l'Anastasie (Saint-Sépulcre), mais le mardi soir, après le renvoi, tous se rendent au Mont des Oliviers, d'où, après lecture, prière et messe, les pèlerins reviennent tard dans la nuit (3); la cérémonie évoque les enseignements de Jésus à ses disciples « dans la grotte où le Seigneur avait l'habitude de les instruire ». Aucun rapport avec l'agonie de Jésus. Ce pèlerinage au *mardi soir* pourrait bien être cependant une antique survivance (4).

Les *sources liturgiques* n'attestent donc que *très tardivement* une tradition de la Cène à la veille de la

(1) Cf. *Vig. Christ.*, VIII (1954), p. 100. La date est discutée.

(2) *Peregrinatio ad loca sancta*, 34, éd. Pétré, p. 228-230.

(3) *Ibid.*, 33, p. 224.

(4) Le R. P. Mercier, spécialiste d'arménien, me signale aimablement que la liturgie arménienne — dont le lectionnaire est fortement apparenté à celui de Jérusalem — place également l'office du mardi soir au mont des Oliviers. On pourrait même discerner dans cet office quelques dominantes intéressantes : le festin messianique (Prov. **9**, 1-11 : festin de la Sagesse) ou la trahison de Judas — mais il s'agit davantage de la trahison morale (auprès des princes des prêtres) que de la trahison au jardin des Oliviers (cf. plus bas, p. 100-101).

mort de Jésus. Par contre, les *écrivains ecclésiastiques* fournissent au moins des allusions à partir de la *seconde moitié du IIe siècle*.

Dans un chapitre de *l'Adversus haereses* conservé en traduction latine, saint Irénée veut prouver que le ministère de Jésus a duré plus d'un an puisque l'évangile de Jean signale trois fêtes de Pâque. Voici le texte sur la troisième Pâque :

« Il est écrit que, 6 jours avant la Pâque, (Jésus) vint à Béthanie, qu'il monta de Béthanie à Jérusalem, qu'il mangea la Pâque et souffrit *le jour suivant* » *(manducans pascha et sequenti die passus)* (1).

Il est clair que, pour Irénée, cette indication jetée en passant est le commentaire tout naturel du texte évangélique; elle ne devait donc susciter aucune discussion dans le milieu où il vivait. Notons cependant — même si la formule du *jour suivant* est antérieure à Irénée — qu'il s'agit là d'une interprétation des évangiles.

C'est également une querelle d'exégèse qui est l'occasion des témoignages suivants, dont le premier est certainement plus ancien que celui d'Irénée. C'est un fragment d'ouvrage sur la Pâque, conservé dans *le Chronicon pascale*, remontant à Apollinaire, évêque d'Hiérapolis en Phrygie, vers l'an 165. Certaines gens, dit-il, provoquent des querelles au sujet de la Pâque

« à cause de leur ignorance. Ils disent que, le 14, le Seigneur a mangé l'agneau avec ses disciples et que lui-même a souffert le grand jour des Azymes; ils prétendent que Matthieu dit comme ils pensent. Mais leur opinion

(1) *Adv. Her.* II **22**, 3 (éd. Harvey, t. I, p. 329).

est contraire à la loi et introduit une contradiction dans les Évangiles (1) ».

Pour les adversaires d'Apollinaire, Jésus a donc célébré la Cène la veille de sa mort. Apollinaire repousse l'idée d'un crucifiement le 15 Nisan, jour de la Pâque, en en soulignant les difficultés, mais lui-même ne nous dit pas comment il tranchait le débat d'exégèse (2). Dans un second fragment, il affirme que

« la vraie Pâque du 14, c'est le Fils de Dieu qui a remplacé l'agneau (3) ».

Il est bien probable, puisque Apollinaire ne donne aucune autre précision, qu'il plaçait la Cène le 13.

De même Clément d'Alexandrie dans un fragment conservé également dans *le Chronicon Pascale* :

« Les années précédentes, le Seigneur mangeait la Pâque immolée par les Juifs et en célébrait la fête. Mais, après sa prédication, lui qui était la Pâque, l'agneau de Dieu, mené comme une brebis à la boucherie, il a enseigné à ses disciples le mystère de ce symbolisme en cette journée du 13 où ils lui demandent : Où veux-tu que nous te préparions la Pâque? En ce jour donc (οὖν) se faisait la sanctification des azymes et la préparation de la fête... Notre Sauveur a souffert le *lendemain,* lui qui était la Pâque offerte par les Juifs... Par suite donc, le 14 où il souffrit, les princes des prêtres et les scribes l'ayant amené à Pilate n'entrèrent pas dans le prétoire afin de ne pas se souiller, mais de manger la Pâque le soir sans empêchement. Sur cette précision (ἀκριβείᾳ) des jours, toutes les Écritures et les Évangiles sont d'accord (4). »

(1) *P. G.* **92,** 80. Ed. Dindorf, I, p. 13-14.
(2) Voir plus loin (p. 105) l'exposé des difficultés posées à l'exégèse par la date de la mort de Jésus.
(3) *P. G.* **92,** 81. Dindorf, I, p. 14.
(4) *G. C. S.* **17,** p. 216 (éd. Stählin, t. III).

« Cette précision des jours » sur laquelle se fait
« l'accord unanime » de la tradition, c'est évidemment
que Jésus, la nouvelle Pâque, est mort au moment de
l'immolation de l'agneau, le 14 Nisan (1). C'est là
l'affirmation première. La date de la Cène découle
de la mort de Jésus, puisqu'il n'est pas contesté qu'elle
ait eu lieu la veille.

Ce texte de Clément est d'un grand intérêt parce
qu'il pose le problème de la date de la mort de Jésus
exactement dans les termes de l'exégèse postérieure.
Or, comme Clément s'inspirait lui-même, dit-il, d'un
ouvrage perdu de Méliton de Sardes sur la Pâque (2),
de la même époque que l'ouvrage d'Apollinaire (3),
c'est vers 165 que sont attestées pour la première fois
les difficultés qu'entraîne la conciliation des récits
johannique et synoptique.

Auparavant, les textes gardent le silence. Rien
chez les pères apostoliques. Rien chez Justin à propos
de l'institution eucharistique (4). Une phrase de ce
dernier pourtant retiendra notre attention; il s'agit

---

(1) « Le Christ, notre Pâque, a été immolé. » I Cor. **5, 7.**
— Cf. Apoc. **5,** 6-13. — Justin, *Dialogue,* **111,** 3. *Evangile de
Pierre* II 5b. Nous avons vu plus haut le témoignage d'Apollinaire. De même Hippolyte affirme que Jésus ne mangea pas
la Pâque, mais qu'il la souffrit (fragment du *Chronicon Pascale,*
G. C. S. **1,** pars 2, p. 270, éd. Bonwetsch). — « La précision
des jours », c'est aussi, d'après la suite du texte de Clément,
les dates fixes du vendredi et du dimanche : « La résurrection aussi témoigne (pour cette exactitude) : car il est ressuscité
le troisième jour, qui était le premier des semaines de la
moisson, où la loi prescrivait que le prêtre offrît la gerbe. »
(2) Eusèbe, *H. E.* IV **26,** 4; VI **13,** 9.
(3) La date serait donnée par le proconsulat de Servilius
Paulus à Laodicée, entre 164 et 168 (Eusèbe, *H. E.* IV **26,** 3).
(4) *I Apol.* **66,** 3; *Dial.* **41,** 3.

précisément de l'identification du Christ avec la Pâque; Justin s'adresse aux Juifs :

« La Pâque c'était le Christ, comme Isaïe le dit : *Comme un mouton, il fut conduit à l'égorgement.* C'est le jour de la Pâque que vous l'avez arrêté, et c'est aussi dans la Pâque que vous l'avez crucifié, c'est écrit (1). »

Justin distingue deux temps dans le symbolisme de la Pâque appliqué à Jésus : arrestation le jour de la Pâque, et semblablement, pareillement (ὁμοίως), crucifiement dans la Pâque. Ce texte s'explique fort bien dans la perspective où Jésus aurait célébré la Pâque trois jours avant la Pâque officielle, il n'a cependant rien de contraignant.

A ne considérer donc que les écrits patristiques, des témoignages sur une Cène au jeudi soir apparaissent *vers 165*, mais *uniquement à propos d'une querelle d'exégèse*, précisément à cause des difficultés que pose la conciliation des évangiles. Il est clair qu'il s'agit là d'une *déduction*, *non* d'une *tradition*.

Quant à la liturgie, elle est parfaitement logique avec elle-même. Elle ne « se souvient » que de la tradition du mercredi. Elle conserve le jeûne primitif du mercredi *en souvenir de l'enlèvement de l'époux* :

« Des jours viendront où l'époux leur sera enlevé, et alors *en ces jours* ils jeûneront. »

C'est ainsi que la *Didascalie* (éd. Nau, p. 165) cite Mt. **9** 15. Mc. **2,** 20 présente le singulier dans la grande tradition manuscrite : « ils jeûneront en ce jour-là ». Mais dans les variantes de Marc, dans certains manus-

---

(1) Ἐν ἡμέρᾳ τοῦ πάσχα συνελάβετε αὐτὸν καὶ ὁμοίως ἐν τῷ πάσχα ἐσταυρώσατε, γέγραπται (Dial. **111**, 3).

crits de Matthieu (D it) et dans Luc **5, 35** se trouve
le pluriel. Ainsi, par référence aux jours de jeûne
déterminés par la *Didaché* : mercredi et vendredi,
trouverions-nous l'affirmation dans une partie de la
tradition évangélique elle-même que les jeûnes du
mercredi et du vendredi sont en liaison avec l'enlèvement de l'Époux. C'est exactement l'interprétation
de la tradition patristique ancienne. Tertullien semble
bien lier les jeûnes du mercredi et du vendredi à
l'enlèvement de l'Époux (*De Jej.* **2; 14**; cf. **13**). La
Didascalie, Épiphane et Victorin de Pettau précisent
ce que signifie ce jeûne du mercredi : c'est la nuit de
l'enlèvement de l'Époux, celle où Jésus a été livré,
c'est-à-dire trahi et arrêté.

Mais, à mesure que se perdait le souvenir de la
chronologie des trois jours, il fallait réinterpréter
la tradition liturgique. Le mercredi, Jésus avait été
livré. Dans le canon des liturgies ces mots conser-
vaient toute leur force, celle qu'ils avaient *dans Paul* :

« la nuit où il fut livré ».

Mais déjà dans Pierre d'Alexandrie († 311)
l'expression prend un autre sens :

« Personne ne nous blâmera quand nous observons le
jeûne du mercredi et du vendredi, auxquels avec raison
la tradition nous a prescrit de jeûner. Le mercredi à
cause du *complot* tenu par les Juifs pour que leur soit
livré le Seigneur, le vendredi parce qu'il a souffert pour
nous » (1).

Ainsi, le mercredi, Jésus a toujours été livré, mais
livré par la trahison morale de Judas, non plus par
la trahison effective de l'arrestation.

(1) *Ep. can.*, chap. 15 (*P. G.* **18**, 508b).

La tradition s'incurve de la même façon dans les *Constitutions apostoliques*, dont on connaît le caractère composite. En *Const. Apost.* V, **15** (éd. Funk : V, **14**, 20), il est dit sans commentaire :

« Il nous a ordonné de jeûner le mercredi et le vendredi, le premier jour à cause de la trahison, le second à cause de la passion. »

Un passage de VII, **23** garde le souvenir d'un « jugement (κρίσις) porté contre le Seigneur » le mercredi, mais une glose nous apprend que ce « jugement » est celui qui a été porté lorsque Judas a « promis » de le livrer. Le chapitre v, **14** est extrêmement curieux. Il y est reconstruit une chronologie suivie de la semaine sainte où le lundi et le mardi sont occupés par les complots des Juifs contre Jésus, et le mercredi par la décision de le mettre à mort. Or le rédacteur est amené à distinguer *deux* repas de Jésus, l'un où est prédite la trahison de Judas (« L'un de vous me trahira ») et qui, dans la structure actuelle du récit, paraît placé au mercredi soir ; l'autre, clairement situé au jeudi soir, où Jésus mange la Pâque et institue l'Eucharistie. Cette solution bizarre est nettement le signe du flottement de la tradition sur le dernier repas de Jésus.

La *Didascalie d'Addaï* interprète différemment le lien originel du mercredi avec la Passion : Jésus a fait ce jour-là des « révélations » sur ses souffrances et sa mort (1). Le *Livre d'Adam et d'Ève* conservait au contraire fortement le lien primitif.

Arrivés à ce point de notre recherche, les résultats obtenus par l'étude des écrits patristiques confirment

(1) *Didascalie d'Addai* **2,** 3 (éd. Nau, p. 225).

ceux du calendrier. La seule date vraisemblable pour
le repas pascal était, d'après l'analogie liturgique, celle
du mercredi. Or, la tradition chrétienne la plus
ancienne, celle qui s'insère dans le milieu de la communauté primitive judéo-chrétienne, témoigne dans
le même sens (1). C'est la seule qui soit ancienne —
car *il n'y a pas de tradition du jeudi soir.* La tradition du mercredi a marqué la liturgie d'une empreinte
indélébile en lui imposant le jeûne du mercredi. Elle
n'a rien d'une tradition « aberrante », ni latérale au
christianisme. Elle n'est pas l'expression d'un milieu
périphérique. Elle se confond avec l'axe central de la
liturgie chrétienne.

Devant ces évidences, nous sommes enfin acculés
à la question essentielle : *les récits évangéliques
seraient-ils en contradiction avec la tradition liturgique?*

---

(1) Le fait est si patent qu'un exégète comme le P. Lagrange écrivait que « la tradition chrétienne regardait le mercredi comme le début de la passion » (*Evangile selon saint Marc,*
Paris, 1942, p. 365, n. 1).

TROISIÈME PARTIE

LES ÉVANGILES

CHAPITRE I

SOLUTION
DU CONFLIT JEAN-SYNOPTIQUES

Depuis que la réflexion chrétienne s'exerce sur la comparaison des évangiles entre eux — c'est-à-dire, nous l'avons vu, depuis la seconde moitié du second siècle — est apparu le conflit des traditions synoptique et johannique sur *le jour de la mort de Jésus*. Les données du problème sont classiques (1). Les synoptiques présentent le dernier repas de Jésus comme un *repas pascal* (Mc. **14,** 12-16; Mt. **26,** 17-19; Lc. **22,** 7-15). Si donc les synoptiques suivaient le calendrier juif officiel, Jésus aurait mangé la Pâque le 14 Nisan au soir et aurait été crucifié le 15. A vrai dire, cette solution n'a jamais beaucoup satisfait

---

(1) Le sujet a donné lieu à une littérature innombrable. Il est impossible d'en donner ici une liste exhaustive. On peut consulter : Str.-Bill. II, Exkurs, p. 812-853, « Der Todestag Jesu ». Lagrange, *Evangile selon saint Marc*, 1942, p. 354-363. Ogg George, *The Chronology of the public Ministry of Jesus*, Cambridge, 1940, p. 205-242. Parmi les publications plus récentes, signalons en *J. Q. R.* XLII (1951-1952) les thèses contradictoires de Heawood et Zeitlin (p. 37-50) et de Torrey et Zeitlin (p. 237-260); la traduction anglaise de l'ouvrage de J. Jeremias, *The Eucharistic Words of Jesus*, Oxford, 1955.

l'exégèse, car comment admettre tant d'activité déployée par les Juifs au cours de la nuit et du jour de la Pâque qui étaient saints et chômés ! Par contre, chez Jean, lorsque les Juifs amènent Jésus à Pilate, ils n'ont *pas encore* mangé la Pâque puisqu'ils refusent d'entrer dans le prétoire

« pour ne pas se souiller et pouvoir manger la Pâque » (Jn. **18, 28**).

Jésus meurt le 14 Nisan pendant l'immolation des agneaux dans le temple (cf. Jn. **19, 36**).

« C'était la veille de la Pâque » (Jn. **19, 14**).

Devant cette apparente incohérence, certains critiques ont adopté un scepticisme radical qui conteste toute historicité à une chronologie quelconque de la Passion (1). D'autres ont proposé divers essais de conciliation. Le plus intéressant est certainement celui qui, plaçant la mort de Jésus au 14 Nisan, suppose que Jésus a avancé la date du repas pascal. Mais comment était-il possible d'*avancer* ce repas? L'hypothèse d'une divergence de calendrier a été proposée; en particulier une différence d'un jour dans le calcul de la nouvelle lune, différence qui aurait pu opposer Judéens et Galiléens, mais cette hypothèse n'a jamais pu être solidement étayée. Ou bien on a contesté le caractère pascal de la dernière Cène. La proximité du dernier repas de Jésus avec la Pâque aurait facilité un transfert, favorisé en outre par une

---

(1) Cf. par exemple Théodore Reinach à propos des difficultés posées par les récits de la Passion : « L'incohérence et les contradictions de ces récits prouvent qu'ils sont dénués, dans le détail, de tout fondement historique.» *R. E. J.*, XXXV (1897), p. 16, n. 1.

élaboration théologique. Mais cette solution compromet le caractère historique de l'affirmation très nette des synoptiques.

Or, si l'on applique aux récits évangéliques la tradition conservée dans le premier récit de la *Didascalie*, la contradiction entre Jean et les synoptiques se résout d'elle-même. La chronologie est en effet la suivante :

Jésus célèbre la Pâque *au mardi soir, veille de la Pâque* dans le calendrier sacerdotal *ancien*.

Arrestation dans la nuit du mardi au mercredi.

Jésus meurt le *vendredi 14 Nisan, veille de la Pâque* dans le calendrier *officiel*.

La Pâque ancienne et la Pâque officielle auraient donc été célébrées cette année-là à trois jours de distance. Ce peut être un hasard. Mais cet écart relativement faible porte à adopter l'hypothèse d'un calendrier mitigé, proposée plus haut comme très probable dans le milieu juif qui donna naissance au christianisme. Le choix de ce mercredi, qui précédait la Pâque officielle, permettait que la pleine lune tombât *pendant les sept jours de la fête pascale*, calculés selon le calendrier sacerdotal ancien.

Selon cette explication, *les évangiles synoptiques* ont donc préservé une tradition primitive correspondant à une catéchèse palestinienne. Dans ce milieu, la Pâque célébrée par Jésus ne pouvait désigner que celle du calendrier ancien. Les commentaires étaient donc superflus.

En Mc. **14**, 12 (cf. Lc. **22**, 7) le texte porte :

« Le premier jour des Azymes où l'on immolait la Pâque ».

Cette précision, « où l'on immolait la Pâque », qui manque dans le texte de Matthieu, paraît une glose secondaire, destinée à montrer que ce premier jour des Azymes (1) était le jour au soir duquel commençait la fête des Azymes. C'est l'affirmation qu'on était à la veille de la Pâque (ce qui élimine l'hypothèse du 13 Nisan). Il est possible d'ailleurs que le glossateur, qui tenait si fort à la veille de la Pâque, n'ait plus compris de quelle Pâque il s'agissait. Cette glose laisse entier le problème de savoir si Jésus a mangé ou non l'agneau pascal au repas de la Cène (2).

(1) L'expression a toujours fait difficulté, mais surtout dans un système où il fallait que ce premier jour des Azymes représentât l'*avant-veille* de la Pâque, c'est-à-dire le 13 Nisan ! Au contraire l'expression se justifie pour la veille de la Pâque où déjà, dans la matinée, il n'était plus permis de prendre du pain fermenté. Voir Str.-Bill., *ibid.*, p. 813-815, qui fournit des parallèles rabbiniques.

(2) Il n'est guère probable que les prêtres aient permis au temple qu'on immolât l'agneau à un jour qui n'était pas le jour officiel. La question est de savoir si, dans les milieux juifs qui célébraient la Pâque à jour fixe, on avait continué à égorger l'agneau pascal. Depuis la découverte à Qumrân d'ossements venant de repas sacrés et soigneusement conservés dans des marmites (*R. B.* LXIII (1956), p. 74, 549-550), il est très vraisemblable qu'on immolait à Qumrân l'agneau pascal, la communauté jouant le rôle de sanctuaire. Mais en dehors du temple de Jérusalem et du couvent de Qumrân considéré comme sanctuaire, le problème est plus délicat à trancher. Pour Eléphantine, cf. Grelot, « Le Papyrus pascal et le problème du Pentateuque », *V. T.*, V (1955), p. 260-262. Pour des exemples d'immolation d'agneau pascal en dehors de Palestine, voir les références données par Pedersen, *Israel. Its life and its culture*, II, Londres-Copenhague, 1940, p. 413-414 et notes correspondantes p. 705, 707. Voir aussi *P. G.*, **1**, 870 (*Variorum notae*) : des Arméniens judaïsent en égorgeant l'agneau pascal. Malgré ces exemples on peut se demander si, dans bien des cas, un rituel d'azymes ne suffisait pas pour la célébration de la Pâque; cette solution paraît la plus vraisemblable pour la Cène de Jésus.

Le IVe évangile a été certainement élaboré dans une optique différente en fonction d'un milieu hellénisé. Il est probable que, dans la diaspora, la seule Pâque était celle du 15 du mois lunaire. La notice conservée par Al-Biruni sur les Magarya dit que leurs observances pascales n'étaient obligatoires que pour ceux qui habitaient en Israël. D'autre part, court à travers tout l'évangile de Jean la préoccupation théologique qui se manifeste dès le prologue dans le parallèle antithétique Jésus-Moïse. Le culte dans l'Esprit fondé par Jésus a remplacé les rites et les célébrations du judaïsme légal (1). Aussi l'activité de Jésus est-elle présentée scandée au rythme des fêtes juives officielles, fêtes auxquelles il donne seul leur accomplissement (2). A la dernière Pâque, il est l'agneau pascal qui remplace tous les sacrifices du Temple. Dans cette perspective, ce sont les fêtes du judaïsme officiel qui intéressent la tradition johannique. Les datations sont faites en fonction de la Pâque officielle.

C'est « *avant* la fête de Pâque » (Jn. **13**, 1)

— et non la veille! — qu'ont eu lieu le lavement

---

(1) Cf. Jn. **2**, 6-10 (l'eau des purifications des Juifs est remplacée par le vin excellent fourni par Jésus). Jn. **4**, 11-14 (l'eau du puits de Jacob auquel il a bu, lui et ses enfants, est remplacée par l'eau jaillissante que donne Jésus), etc...

(2) Cf. Jn. **2**, 13-22 (A l'approche de la Pâque *des Juifs*, Jésus chasse du temple les bêtes du sacrifice; c'est lui seul qui construira le temple nouveau). Jn. **6**, 4 sv (A l'approche de la Pâque, *la fête des Juifs*, Jésus multiplie les pains, symbole eucharistique). Jn. **7**, 2, 37-39 (Le dernier jour de la fête des Tabernacles, *fête des Juifs*, Jésus invite à boire au fleuve jaillissant de l'Esprit).

des pieds et le discours des adieux, tandis que le jugement de Pilate a eu lieu

« *la veille* de la Pâque » (Jn. **19,** 14) (1).

(1) Ce point de vue des fêtes officielles dans le IVe évangile
ne doit pas faire oublier la « sensibilité » du même évangile aux
jours de la semaine (Mgr Weber a mis l'accent sur ce point
dans *Bulletin ecclésiastique du diocèse de Strasbourg*, LXXIV
(1955), p. 542). Les jours ont été minutieusement notés dans
plusieurs passages du IVe évangile, sans doute avec des intentions discrètes qu'il ne faut pas laisser échapper. Après le
« rodage » auquel nous ont soumis les documents sacerdotaux,
les *Jubilés*, le *Livre d'Adam et Ève*, ceci ne serait pas pour nous
étonner. Les notations de Jn. **1,**29-**2,**1 ont soulevé déjà
bien des interprétations. Or, indépendamment de toute
question de calendrier, plusieurs critiques avaient déjà
supposé que le jour des noces de Cana devait tomber un *mercredi*, puisque dans les temps anciens les noces des jeunes filles
juives étaient fixées au mercredi (Cf. STR.-BILL. II 398;
BULTMANN, *Das Evangelium des Johannes*, 12 Aufl. 1952,
p. 79, n. 3). Voir aussi plus haut n. 1, p. 29-30 sur les coutumes
des anciens *hasidim*. Ainsi ce repas de Cana qui, dans l'intention de l'auteur, annonce la Cène de Jésus, la préfigurerait
aussi par le symbolisme même du jour mis en valeur par
l'évangéliste. En ce cas le τῇ τρίτῃ ἡμέρᾳ (Jn. **2,** 1) peut
s'interpréter au sens absolu du 3e jour (de la semaine), c'est-à-
dire mardi, au soir duquel a lieu le repas de noces, au début
de la nuit du mercredi. Mais il peut aussi bien s'interpréter
comme le 3e jour après le « lendemain » du verset **1,** 43 qui
alors est un *dimanche*. Précisément, en ce lendemain de sabbat,
Jésus part pour la Galilée (la distance peut se couvrir facilement en 3 jours de marche). En s'en tenant au texte πρῶτον
de **1,** 41, la veille est un jour de sabbat; il est noté que les disciples demeurent auprès de Jésus en ce jour-là. L'avant-
veille où Jean-Baptiste fait sa grande proclamation sur l'agneau
qui ôte les péchés du monde, tombe un *vendredi*.
    Une fois de plus se manifestent les caractères complémen-
taires du IVe évangile : enracinement dans le monde palestinien, adaptation au monde hellénistique.

Les deux points de vue, synoptique et johannique,
sont donc *a priori* différents. Les deux traditions ne
parlent pas de la même Pâque. Ces considérations
pourraient expliquer en partie le silence des synoptiques à propos des fêtes juives officielles. Elles jettent
beaucoup de lumière sur les *querelles pascales pos-
térieures* (1). Une tradition liturgique dans la ligne
de la catéchèse palestinienne conservée dans les synoptiques n'avait aucune raison de célébrer la Pâque
selon le jour officiel mobile — mais selon le jour de la
semaine. Telle la liturgie romaine, appuyée sur une
catéchèse du type de Marc. En défendant — avec trop
de rigueur — le dimanche pascal, le pape Victor sui-
vait bien, comme il l'affirmait, une tradition apostolique (*H. E.* V. **23**, 1 ; **24**, 9-10).

Mais les Asiates suivaient non moins bien une tradition johannique ! L'évangile de Jean ne mentionnait
que la Pâque du 14 Nisan, fête officielle des Juifs. Il
était assez normal que le seul anniversaire de la Pâque
fût pour eux ce 14 Nisan, jour du crucifiement. Ils
« gardaient le 14e jour de Pâques, *selon l'évangile* »,
à la suite de Jean et de Polycarpe (*H. E.* V **24**, 3-6).
Cela n'exclut pas la possibilité de discussions et
querelles antérieures de calendrier. Il dut y avoir un
certain flottement en Asie Mineure. Le Pont et
l'Osroène étaient d'accord avec Rome, non avec
Ephèse (*H. E.* V **23**, 3-4). Des querelles pascales sont
mentionnées en Phrygie vers 165 (2). Les questions de calendrier semblent toujours avoir été à
l'ordre du jour dans ces contrées. Qui Paul visait-il
donc quand, lui, l'ancien Pharisien, attaché par tradi-

---

(1) cf. plus haut p. 71.
(2) cf. plus haut p. 96.

tion au calendrier lunaire, incriminait ceux qui se maintenaient sous l'esclavage de la loi en observant « les jours, les mois, les saisons, les années » (Gal. **4**, 10; cf. Col. **2**, 16; Rom. **14**, 5)?

La différence de points de vue entre les Synoptiques et Jean explique aussi un détail, cette fois secondaire, de leur chronologie réciproque. Il s'agit de la date de l'*onction de Béthanie*. Selon Jn. **12**, 1 le repas de Béthanie se situe 6 jours avant la Pâque (πρὸ ἐξ ἡμερῶν τοῦ πάσχα) tandis que dans la tradition Mc /Mt le repas est placé juste après la mention que la Pâque doit avoir lieu « après deux jours » (Mt. **26**, 2; Mc. **14**, 1) (1). Il y a là une difficulté qu'on a résolue en général en disant que Mc. /Mt. avaient « transféré » l'onction dans le contexte du récit de la Passion. Si Jean parle de la Pâque officielle et Mc. /Mt. de la Pâque ancienne, la difficulté est levée, ou du moins fortement atténuée.

En effet, en comptant six jours à reculons depuis la Pâque légale, c'est-à-dire depuis le vendredi soir non compris, on aboutit au samedi soir pour l'onction de Béthanie selon Jean (2). En comptant deux jours

---

(1) Le texte parallèle de Luc — qui ne mentionne pas l'onction de Béthanie (cf. Lc. **7**, 36 sv.) — ne précise aucune date : « La fête des Azymes *approchait*, celle qu'on appelle la Pâque » (Lc. **22**, 1). Cette expression vague qui rappelle les formules johanniques (Jn. **2**, 13; **6**, 4; **11**, 55) trahit peut-être un certain embarras de l'auteur. Ce texte *peut* viser, dans sa rédaction actuelle, la fête légale.

(2) Jésus arriverait à Béthanie un jour de sabbat. On peut y voir une difficulté, mais qui se résoudrait de diverses manières : le sabbat se terminait au coucher du soleil; Jésus pouvait venir d'une localité proche : le terme *venir* assez vague ne doit pas être serré de trop près.

à reculons depuis la Pâque ancienne, c'est-à-dire depuis le mardi soir non compris, on arrive soit au dimanche soir, soit au samedi soir, selon le sens qu'on donne à l'expression : μετὰ δύο ἡμέρας (1). Sans doute ne faut-il pas serrer de trop près la phrase :

« La Pâque et les Azymes avaient lieu dans deux jours »;

selon la même tradition Mc. /Mt., dès le mardi matin c'est le premier jour des Azymes, ce qui raccourcit le temps entre l'onction et les Azymes. Il faut en rester à l'impression d'une certaine concomitance entre l'onction, l'annonce de Jésus et la réunion des princes des prêtres en Mc. /Mt. Ainsi l'accord avec Jean n'oblige-t-il plus à déplacer l'épisode.

D'autre part la tradition de Marc a gardé le souvenir des *deux jours* qui suivent l'entrée de Jésus à Jérusalem le jour des Rameaux (Mc. **11**, 12-20). Or le jour des Rameaux est situé par Jean au lendemain de l'onction de Béthanie, donc au dimanche (Jn. **12**, 12), alors que la catéchèse synoptique, qui ne fait monter qu'une seule fois Jésus à Jérusalem, la situe

---

(1) Les équivalences de Josèphe μετὰ δύο ἔτη (*B. J.* I, **13**, 1) = δευτέρῳ ἔτει (*A. J.* XIV, **13**, 3) et μετὰ τεσσαράκοντα ἡμέρας (*B. J.* I **16**, 2) = εἰς τεσσαρακοστὴν ἡμέραν (*A. J.* XIV, **15**, 4) sont peu favorables à une chronologie longue. Mais voici un exemple de Georges LE SYNCELLE, *Chronographie* (éd. Dindorf, t. I, p. 8) où la durée comprise entre le 40e et le 44e jour s'exprime par μετὰ τρεῖς ἡμέρας.

Dans le troisième récit de la *Didascalie*, postérieur au premier d'après la critique interne, le repas de Simon le lépreux est situé au lundi (dimanche soir?), mais pour pouvoir, semble-t-il, appliquer au lundi (10 Nisan) le symbolisme du choix de l'agneau pascal. Ed. Nau, p. 172-173. Voir aussi la note de Nau sur ce passage.

dans un autre ensemble littéraire, bien avant le récit de la Passion (Mc **11**, 1-10 et parallèles). Mais précisément l'accord implicite avec Jean est alors fort intéressant, car, dans l'explication nouvelle, il ne peut s'écouler que deux matins dans la tradition synoptique entre le dimanche des Rameaux et l'arrestation. Or Marc a conservé le souvenir de ces deux matins *seulement* (1).

Sans avoir la superstition des concordances strictes, voici donc une chronologie possible des quelques jours qui précèdent la Cène :

> *Samedi soir :* Onction de Béthanie (Jn. **12**, 1-8; Mt. **26**, 6-13; Mc **14**, 3-9).

« Le lendemain » (Jn. **12**, 12) *dimanche :*
> Entrée solennelle de Jésus (Mt. **21**, 1-9; Mc. **11**, 1-10; Luc. **19**, 28-38).
> Jésus repart coucher à Béthanie (Mc **11**, 11); Mt. **21**, 17).

« Le lendemain » (Mc. **11**, 12) *lundi :*
> Jésus sort de Béthanie et maudit le figuier.

« Le lendemain matin » (Mc. **11**, 20) *mardi :*

---

(1) Mt. **21**, 18-22 bloque en un seul jour les deux temps du récit.

Le R. P. Daniélou dans *Maison-Dieu*, **46**, p. 119-130, propose de placer en septembre l'entrée de Jésus à Jérusalem le dimanche des Rameaux. Cette hypothèse se heurte à la difficulté de contredire directement le texte de Jean, où l'entrée des Rameaux a lieu le lendemain de l'onction — qui était 6 jours avant la Pâque (Jn. **12**, 1, 12). Elle contredit aussi le récit actuel de Marc, qui souligne que « ce n'était pas le temps des figues » (Mc. **11**, 13), signe que le rédacteur ne conservait aucun souvenir d'une entrée des Rameaux en automne. Nous ignorons à quel moment commençaient les leçons liturgiques du calendrier sacerdotal ancien.

Les disciples remarquent le figuier desséché.
Ils demandent où il faut préparer la Pâque (Mc.
14, 12 et parall.)

« Le soir », Jésus se met à table avec ses disciples
(Mc. **14,** 17 et parall.) (1).

---

(1) L'entretien de Judas avec les prêtres — trahison morale
— se situerait le dimanche ou le lundi (Mc. **14,** 10 et parall.;
cf. Jn. **13,** 2).

CHAPITRE II

LES ÉVÉNEMENTS DE LA PASSION DANS LA CHRONOLOGIE DES TROIS JOURS

La chronologie proposée fait disparaître le conflit de Jean et des synoptiques. Mais la difficulté subsistante est que les évangiles ne semblent avoir gardé aucun souvenir des trois jours de la Passion. Il faut y regarder de plus près.

Or, à considérer le contenu seul des récits évangéliques dans leur ensemble, une question surgit impérieusement : si Jésus a été arrêté la veille du crucifiement, comment *tant d'événements* ont-ils pu trouver place dans le laps de temps qui s'écoule entre l'arrestation et la mise en croix? Bornons-nous pour l'instant aux récits synoptiques.

Jésus est mené chez le grand prêtre.

« Se rassemblent (συνέρχονται) *tous* les grands prêtres, les anciens et les scribes » (Mc. **14**, 53), « le Sanhédrin *tout entier* » (Mc. **14**, 55).

On cherche des témoins

« et l'on n'en trouvait pas » (Mc. **14**, 55);

pourtant les dépositions sont nombreuses, mais elles ne concordent pas (Mc. **14**, 56); *plus tard* seulement (ὕστερον, Mt. **26**, 60) se présentent des témoins pour accuser Jésus de vouloir détruire le temple (Mc. **14**, 56-58 ; Mt. **26**, 60-61). C'est alors l'adjuration solennelle du grand prêtre et le jugement unanime : « Il mérite la mort. »

L'impression qui se dégage des récits n'est pas celle d'un jugement précipité. Si l'on accepte les données de Marc, on ne peut réduire la séance du Sanhédrin à la convocation hâtive de quelques membres au milieu de la nuit, ni à l'audition de deux ou trois témoins soudoyés à l'avance. Le Sanhédrin est réuni dans les formes (1) ; les témoins se font désirer. Tout cela est-il possible pendant la fin d'une nuit ?

Mc. /Mt. placent ensuite une scène d'outrages que Luc a située avant, puis une *seconde* séance du Sanhédrin « le matin de bonne heure » ; le Sanhédrin est encore réuni tout entier (Mc. **15**, 1). Cette fois les choses ne traînent pas, et l'on amène Jésus chez Pilate (Mc. **15**, 1 et parall.).

Le gouverneur était-il prêt à paraître sur commande pour juger un aventurier ? Il n'avait pas, pour se presser, les mêmes raisons que les prêtres. Les textes montrent qu'il hésite ; il interroge Jésus plusieurs fois, embarrassé de ce cas étrange (Mc. **15**, 2-5 ; Mt. **27**, 11-14) ; apprenant que Jésus est Galiléen, il le renvoie à Hérode (Luc. **23**, 6-12). On a traité de légende l'épisode d'Hérode, rapporté par Luc seul. Cependant il n'a rien en soi d'invraisemblable, mais il faut avouer qu'il est difficile de le faire entrer en surnombre — avec les circonstances rapportées par

_____

(1) Le grand Sanhédrin se composait de 71 membres (*Sanh.* **1**, 6) ; mais pour juger une cause capitale il suffisait de 23 membres (*Sanh.* **4**, 1). Les expressions de Marc feraient croire à une séance plénière.

Luc (1) — dans le cadre étriqué de notre horaire.

De toute manière, Luc distingue *deux comparu-*
tions devant Pilate. Pour la seconde, Pilate a *convoqué*
(συγκαλεσάμενος) les grands prêtres et les chefs du
peuple (Luc, **23**, 13; cf. Mt. **27**, 17) qui s'étaient donc
dispersés. Matthieu suggère, lui aussi, un intervalle,
puisqu'il insère ici l'épisode du remords de Judas qui
va trouver les grands prêtres et les anciens (Mt. **27**,
3 sv.). Or, même dans cette seconde séance, la condamnation n'est pas immédiate; Pilate discute avec la foule
et, de guerre lasse, relâche enfin Barabbas (Mt. **27**,
15-26; Mc. **15**, 6-15; Lc. **23**, 13-28). Il faut mention-
ner enfin la flagellation et la préparation du supplice.

On peut ajouter aussi que, si versatile que soit
l'opinion populaire, le récit acquiert plus de vraisemblance si les prêtres ont eu devant eux une journée
au moins pour travailler le peuple et le gagner à
leur cause.

Évidemment, l'ensemble de la tradition chrétienne
a fait tenir jusqu'ici tous les événements de la Passion
de Jésus dans le cours d'une demi-nuit et d'une
matinée, mais il faut reconnaître qu'une telle compression des faits n'est guère satisfaisante pour l'esprit.
Encore cette solution n'est-elle viable qu'en « solli-
citant » le texte de Marc qui montre Jésus *en croix*
à 9 heures du matin (« c'était la troisième heure quand
ils le crucifièrent », Mc. **15**, 25). On a cherché à allonger la matinée en rapprochant cette « troisième heure »
de l'heure johannique qui situe vers midi le *jugement*
de Pilate (« c'était environ la sixième heure », Jn.
19, 14). L'horaire long de Jean s'est donc vu attri-

_____

(1) Hérode ne laissa partir Jésus qu'après avoir essayé
en vain de le faire parler.

buer la préférence contre l'horaire court de Marc.

Or le chiffre de Marc — crucifixion à la 3e heure — est précisément celui de la tradition liturgique (1). On y a donc vu une répartition de trois heures en trois heures, qui, puisqu'elle était liturgique, n'était pas historique. Mais il faudrait plutôt se demander si la tradition liturgique n'est pas la plus ancienne et la mieux fondée (2). La *Didascalie* dit aussi que Jésus est resté six heures en croix. Il est curieux de constater que, dans la mesure même où se perd la chronologie des trois jours, s'est modifiée l'heure de la crucifixion. Il fallait, en effet, allonger le temps du vendredi matin. Les *Constitutions apostoliques* ont renversé les heures de façon plus logique : 3e heure pour la sentence de Pilate, 6e heure pour le crucifiement (V, **14**; VIII, **34**). Épiphane, qui défend la Cène du mardi soir, soutient également la 3e heure selon Marc *et selon Jean*. Il affirme en effet que « certaines copies » de l'évangile de Jean ont altéré le signe qui désigne le chiffre 3 (gamma Γ) en celui qui désigne le chiffre 6 (épisémon ς), par suite d'une mince erreur de graphie. Ceci était connu, dit-il, de Clément, Origène et Eusèbe Pamphile (3). Il est vrai que les variantes actuelles des manuscrits sur les heures de Jean et de Marc ne nous sont pas d'un grand secours et que jusqu'ici on n'a rien trouvé de net chez Clément et

---

(1) *Tradition apostolique*, éd. Dix, p. 62-63. Cf. *Canons* d'Hippolyte (*ibid.*) et *Testament de N. S. J. C.* (éd. Rahmani, p. 144-145).

(2) Dans la perspective des synoptiques s'écoule une durée très nette et bien remplie entre le crucifiement et les ténèbres de la 6e heure.

(3) *Frag.*, Holl, p. 206, l. 22-30.

Origène (1). Du moins Eusèbe de Césarée donne-t-il raison à Épiphane dans un texte qui a été conservé à la fois dans une chaîne grecque et dans une lettre syriaque de Sévère d'Antioche (2). Par ailleurs le témoignage d'Épiphane est corroboré par un fragment du *Chronicon Pascale* qui dit s'appuyer sur une tradition d'Éphèse (3).

Quoi qu'il en soit, et même si l'on gardait le chiffre douteux de Jean, le temps est très court et l'on a peine à se figurer tant d'événements en si peu d'heures (4). L'appel à l'évangile de Jean ne fait d'ailleurs qu'augmenter la difficulté horaire, car il faut encore ajouter à la liste synoptique le passage chez Anne et l'interrogatoire du grand prêtre (Jn. **18**, 13-24).

---

(1) Origène — dans les textes que nous avons pu relever — est surtout sensible à un symbolisme de la 6e heure qui est celui des ténèbres à l'heure de midi. Pas de discussion sur l'heure précise de la crucifixion (*Com. sur Cant.* II, *G. C. S.* **33**, 140); mais la 6e heure est insinuée dans *in Math. comm. ser.* 134, *G. C. S.* **38**, 277). Il est curieux de voir Jérôme renverser l'argument paléographique au détriment de la 3e heure (*Brev. in Ps.* LXXVII, *P. L.* **26**, 1046); cela prouve en tout cas que le problème se posait.

(2) Chaîne grecque : *P. G.* **22**, 1009. Sévère d'Antioche : *P. O.* **14**, 270-272.

(3) « L'évangéliste Jean, dans son évangile, dit : ...*C'était la veille de la Pâque; c'était environ la 3e heure*, comme le conservent les livres exacts et l'exemplaire même écrit de la main de l'évangéliste qui, jusqu'à maintenant, par la grâce de Dieu, est gardé dans la très sainte église d'Ephèse et y est honoré par les fidèles » (*Chronicon pascale*, éd. Dindorf, I, p. 10-11, Bonn, 1892).

(4) On s'est souvent étonné que Jésus soit mort seulement après 3 heures en croix. Dans la chronologie proposée, il meurt après 2 jours ½ de souffrances et 6 heures en croix.

Ceci amène une autre question qui a toujours causé grande perplexité aux exégètes. *Comment les événements rapportés par les différents évangélistes s'imbriquent-ils les uns dans les autres?*

Une contradiction existe entre la tradition de Mc. /Mt. et celle de Luc à propos du moment du jugement. En effet, dans les quatre évangiles, le triple reniement a lieu dans la nuit qui suit l'arrestation, mais Mc. /Mt. intercalent le jugement chez le grand prêtre *à l'intérieur* de l'épisode de Pierre (Mt. **26**, 58-75; Mc. **14**, 54-72). Si donc les reniements se sont passés la nuit, il est forcé également que le jugement se soit tenu de nuit. Chez Luc, au contraire, le jugement, qui est unique, a lieu de jour (Lc. **22**, 66). Jean renforce Luc, puisque la nuit de l'arrestation est occupée par l'interrogatoire du grand prêtre Anne. La chose a paru si anormale que beaucoup de critiques proposent de déplacer en Jn. **18** le verset 24 et de l'insérer entre les versets 13 et 14 de façon à restituer chez Caïphe et non plus chez Anne les scènes du reniement et de l'interrogatoire. Mais ce déplacement arbitraire devient tout à fait inutile si l'on suit la chronologie du premier récit de la *Didascalie* qui déclare que c'est dans la journée du mercredi que Jésus fut gardé chez Caïphe et que les princes des prêtres tinrent conseil à son sujet. L'interrogatoire subi par Jésus est très différent de la scène du jugement; il n'y a donc aucune raison de le rapporter à Caïphe.

Cette exégèse n'est pas nouvelle qui refuse de voir dans l'interrogatoire de nuit un jugement du Sanhédrin. C'est celle du *Diatessaron* de Tatien qui accorde les récits évangéliques en situant les deux derniers reniements de Pierre au moment où Jésus sort de chez Anne pour être mené chez Caïphe. *Ensuite* seulement se rassemblent les grands prêtres et les scribes (1). Cette manière d'ordonner les faits a été reprise par l'exégèse moderne (2), indépendamment du premier récit de la *Didascalie* qui lui apporte une évidente confirmation.

Mais la *Didascalie* affirme également que Jésus ne fut mené chez Pilate que le jeudi et ceci résout le problème de la seconde séance du Sanhédrin dans Mc./Mt. « au matin, de bonne heure ». La première séance, qui fut longue, eut lieu de jour le mercredi, la seconde au matin du jeudi.

On comprend maintenant comment a pu se créer la tradition Mc./Mt. Le souvenir était conservé du reniement de Pierre chez le grand prêtre; or Marc et Matthieu ne mentionnent qu'un grand prêtre (3). Ils ont donc placé le reniement de Pierre chez Caïphe. Chose plus grave : le blocage des perspectives a amené la tradition Mc./Mt. à ne rapporter qu'*une seule* séance avec *interrogatoire du grand prêtre*. Or, la séance principale étant celle du jugement, elle s'est trouvée reportée à la place même de l'interrogatoire d'Anne, et donc encadrée par l'épisode de Pierre. Notons que cette solution pourrait bien dénouer un autre problème : celui du *lieu* du jugement, qui n'est plus obligatoirement le palais de Caïphe (4).

(1) Ed. Marmardji, texte arabe établi, traduit en français (Beyrouth, 1935), p. 463 sv.

(2) C'est l'exégèse du P. Benoit, dans *Angelicum* XX (1943), « Jésus devant le Sanhédrin », p. 158-160.

(3) Marc (comme Luc) ne nomme pas ce grand prêtre (Mc. **14**, 53). La précision « Caïphe » en Mt. **26,** 57 est sans doute due au rédacteur grec de l'évangile.

(4) Un jugement « légal » n'avait certainement pas lieu dans la maison du grand prêtre (cf. STR. BILL. I, p. 997-1001). « Lorsque vint le jour, dit Luc, se rassembla le Conseil des

Mais *pourquoi deux séances du Sanhédrin* à un jour de distance? La réponse est donnée par un texte de la Michna qui réglemente ainsi la procédure juive en cas de condamnation capitale :

« Dans les causes non capitales, le jugement a lieu pendant le jour et le verdict peut être rendu pendant la nuit; dans les causes capitales *le jugement* a lieu *pendant le jour* et le verdict doit être aussi rendu *pendant le jour*. Dans les causes non capitales le verdict d'acquittement ou de condamnation peut être rendu le même jour; dans les causes capitales, un verdict d'acquittement peut être rendu le même jour, mais *un verdict de condamnation ne peut pas l'être avant le jour suivant*. C'est pourquoi des jugements ne peuvent avoir lieu *la veille d'un sabbat* ou *la veille d'un jour de fête* » (*Sanh.* **4, 1**).

Devant l'évidence de ce texte — qui ne s'accordait pas avec la chronologie habituelle — on a émis des doutes sur l'application de cette juridiction au temps de Jésus. La Michna conserve pourtant un droit juif très ancien et les présomptions sont en sa faveur. Ajoutons que ces prescriptions sont assez logiques, qu'un procès de nuit n'a guère de chances d'être légal dans aucun pays civilisé, ni même un jugement rendu en un seul jour sans aucune enquête préalable. Aussi a-t-on plutôt soutenu que les autorités juives avaient bâclé le procès de Jésus, en se reposant sur le fait que le droit de mort n'appartenait qu'aux Romains, ce qui les dispensait d'appliquer leurs propres règle-

anciens du peuple, grands prêtres et scribes, et ils le *firent amener* (ἀπήγαγον) à leur sanhédrin » (Lc. **22**, 66), ce qui indique un changement de lieu, même si συνέδριον signifie ici l'assemblée et non le lieu de l'assemblée. — Cf. BENOIT, *ibid.*, p. 165.

ments. Il faudra sans doute réviser ce jugement.

Les hommes qui condamnèrent Jésus le firent au nom de la Loi, sur l'accusation de blasphème qui était le pire des crimes à leurs yeux. Eux-mêmes se devaient d'appliquer les règles dans leur intégrité absolue. Il est bien dans l'esprit légaliste d'observer scrupuleusement les formes juridiques, même si, dans la conjoncture présente, elles ne correspondent plus exactement au but pour lequel elles ont été créées. D'ailleurs, livrer Jésus à Pilate pour qu'il le condamnât à mort, c'était assumer la responsabilité du verdict; et c'est bien ainsi que devaient l'entendre les autorités religieuses de la nation. Pour discréditer totalement, aux yeux du peuple, le chef et le mouvement qui se dessinait autour de lui, il était indispensable de sauvegarder le caractère légal et strictement juif des décisions prises. Une condamnation ordonnée par les Romains, c'était peu pour des Juifs religieux prêts à sacrifier leur vie pour éviter une profanation contraire à la Loi (1). Il fallait un jugement prononcé par les autorités légitimes, pris au nom de la Loi pour défendre la Loi (2).

Il est frappant que les règles posées par la Michna s'accordent exactement avec la *Didascalie* et répondent en même temps aux exigences internes des textes évangéliques. Ainsi se justifient les deux séances de la tradition Mc. /Mt.; la première, de jour (Lc. **22,**

---

(1) Comme le jour où Pilate voulut faire entrer dans Jérusalem les enseignes romaines avec effigies des empereurs (JOSÈPHE, *A. J.* XVIII, **3**, 1; *B. J.* II **9**, 2-3). Une décision de Pilate ne pouvait avoir aucune valeur aux yeux des Juifs.

(2) Aucun texte chrétien primitif ne porte l'accusation d'illégalité contre le jugement des chefs de la nation. C'était pourtant un argument polémique facile.

66), avec longue audition de témoins — celle du jugement ; la seconde, rapide, le lendemain matin :

« Le matin étant venu, ils tinrent un conseil contre Jésus afin de le mettre à mort » (Mt. **27, 1**)

— celle du verdict. Cette décompression éclaire les délibérations du Sanhédrin qui, selon l'expression du R. P. Vogt, ont toujours été des casse-tête (1).

De même, d'après la Michna, les grands prêtres et les scribes, s'ils voulaient un jugement immédiat, ne pouvaient faire arrêter Jésus dans la nuit du jeudi au vendredi, veille à la fois d'un sabbat et de la Pâque. Une arrestation dans la nuit du mardi au mercredi, au contraire, pouvait faire espérer une solution pour le jeudi. Les hésitations de Pilate les menèrent au vendredi.

Là encore, la chronologie des trois jours satisfait aux exigences de la Michna et supprime en outre la contradiction interne que l'on voyait jusqu'ici dans la tradition de Mc. /Mt. : les prêtres et les scribes décidaient de ne pas se saisir de Jésus pendant la fête (Mc. **14, 2** ; Mt. **26,** 5) et aussitôt ils le faisaient arrêter à la veille de la Pâque (2).

La chronologie de la première partie de la Passion peut donc s'établir assez facilement, en tenant compte des trois traditions : Mc. /Mt., Luc, Jean. Ces traditions présentent un récit épisodique avec détails

(1) *Christus*, 11 (juillet 1956), p. 418.
(2) On a fait appel au texte de *Sanh.* **11,** 4 qui parle de châtiments exemplaires pendant les fêtes pour impressionner le peuple ; mais ce texte ne résout ni la contradiction des évangiles, ni la difficulté juridique, car le condamné doit avoir été jugé auparavant et gardé pour la fête.

complémentaires et « raccourcis » différents qu'il faut retrouver pour expliquer les divergences mutuelles. Les faits se déroulent de la manière suivante :

Nuit du mardi au mercredi : Jésus arrêté, mené chez le grand prêtre (Mc. **14,** 53; Lc. **22,** 54) Anne (Jn. **18,** 13).
Interrogatoire du grand prêtre (Jn. **18,** 19-23).
Jésus mené chez Caïphe (Jn. **18,** 24).
Journée du mercredi : grande séance du jugement (Mc. **14,** 55-64 et parall.). Scène d'outrages (1).
Jeudi matin (2) : séance du verdict (Mt. **27,** 1; Mc. **15,** 1).
Jésus est aussitôt traîné chez Pilate (Mt. **27,** 2; Mc. **15,** 1; Lc. **23,** 1; Jn. **18,** 28).

Jean enchaîne immédiatement :

« Les Juifs n'entrèrent pas dans le prétoire pour ne pas contracter de souillure et pouvoir manger la Pâque » (Jn. **18,** 28).

Mais ceci ne nous porte pas forcément au vendredi matin, comme je l'avais cru d'abord. En effet, une tradition de la Michna, glosée par les rabbins, rapporte que la souillure contractée en entrant dans la

---

(1) La scène d'outrages : « Christ, prophétise » (Mt. **26,** 68 et parall.) trouve place normalement après la déclaration de Jésus devant le grand prêtre; tel est l'ordre de Mc /Mt. Mais Luc ne présentant qu'une seule séance du sanhédrin, après laquelle on mène aussitôt Jésus chez Pilate, devait placer cette scène avant la séance (Lc. **22,** 63-65).

(2) Jésus passa sans doute en prison la nuit du mercredi au jeudi; de même, celle du jeudi au vendredi, mais cette fois sous la surveillance des geôliers de Pilate. On peut voir une allusion à l'emprisonnement de Jésus dans la parole de Pierre, rapportée *après coup :* « Je suis prêt à aller avec toi en *prison* et à la mort » (Lc. **22,** 33).

maison d'un païen durait sept jours; car, par suite de
la crainte de fœtus enterrés sur place, elle était assi-
milée à la souillure contractée dans la maison d'un
mort selon Nb. **19, 14**; cette prescription ne valait
qu'en Palestine (1). Il n'y a donc plus de difficulté à
placer au jeudi matin la comparution devant Pilate
selon Jean (2).

Jean et Marc bloquent ensuite les deux séances
devant Pilate, tandis que Luc, avec le renvoi à
Hérode et la nouvelle convocation des grands prêtres,
est très favorable à l'hypothèse de deux jours consécutifs : jeudi et vendredi. Matthieu s'explique également mieux ainsi (3). Voici donc comment on dis-
posera la suite des événements :

Journée du jeudi : comparution devant Pilate.

Renvoi à Hérode (Lc. **23**, 6-12).

Vendredi matin : nouvelle comparution devant
Pilate (Lc. **23**, 13).

Condamnation. Crucifiement.

Ainsi les événements de la Passion se répartissent

(1) Voir Str.-Bill. II (1924), p. 838-839. Je dois cette référence au R. P. Vogt qui a attiré mon attention sur ce texte.

(2) On voit combien la chronologie proposée, loin de sacrifier l'historicité de Jn. **18**, 28 (cf. les interprétations hâtives
de Burkill, « The last Supper », *Numen* III (1956), p. 177,
n. 35) met en lumière les divers temps indiqués par l'évangile de Jean : « *Avant* la fête de Pâque » (mardi soir); ils
refusent de se souiller « afin de manger la Pâque » (jeudi
matin); « c'était la *veille* de la Pâque » (vendredi matin).

(3) Le συνηγμένων αὐτῶν de Mt. **27**, 17 paraît un souvenir d'un rassemblement opéré par Pilate. L'épisode du
remords de Judas et son entretien avec les grands prêtres
est intercalé à l'intérieur de la comparution devant Pilate
(**27**, 3-10). L'angoisse nocturne de la femme de Pilate est
compréhensible si elle était inquiète du prisonnier qu'on
avait livré la veille à son mari (**27, 19**).

d'une façon beaucoup plus vraisemblable sur une durée de deux jours et demi que sur l'intervalle supposé par une Cène au jeudi soir. La chronologie proposée montre la cohérence implicite des récits évangéliques — précisément dans la mesure où l'on serre de plus près le sens littéral des textes. Elle résout ainsi beaucoup d'objections soulevées contre l'historicité du récit.

Certains pourtant continueront de voir une difficulté dans le double procès de Jésus (1). Cette objection ne tient pas assez compte de notre pénurie d'informations sur les conditions juridiques de la Palestine au temps des procurateurs, comme le signalait M. Goguel lui-même (2), ni de la complexité et de la souplesse des faits concrets, en particulier dans le cas de Jésus.

La solution proposée redonne au procès juif, en accord avec la tradition synoptique, un caractère légal auquel les critiques avaient renoncé. Nous avons déjà dit pour quelles raisons un jugement effectué selon les formes légales juives apparaissait psychologiquement et religieusement nécessaire : Jésus ne devait pas apparaître comme un martyr de la cause anti-romaine. L'appel à la juridiction romaine était probablement obligatoire — au moins théoriquement — pour faire

(1) Cf. le scepticisme de JUSTER, *Les Juifs dans l'Empire romain*, Paris, 1914, II, p. 127-149. Voir bibliographie dans O. CULLMANN, *Der Staat im Neuen Testament*, Tübingue, 1956, p. 28, n. 1 (éd. française : *Dieu et César*, p. 44 et n. 16).

(2) *Jésus*, 2e éd. 1950, p. 412. Dans le même livre, M. Goguel signalait qu'il existait dans la tradition johannique « un certain vide » entre l'entrée de Jésus à Jérusalem et le dernier repas (p. 186) et il suggérait même que la Cène de Jésus pouvait avoir eu lieu avant la veille de la mort de Jésus (p. 187, n. 5).

ratifier une sentence de mort (1). Mais dans le cas de Jésus un procès romain s'imposait, puisqu'il fut présenté comme un agitateur qui soulevait le peuple contre César (2). Les autorités juives désiraient s'assurer le concours des autorités romaines. Il y a à cela plusieurs raisons possibles. La crainte d'un soulèvement populaire en faveur de Jésus (Mc. **14, 2**; Mt. **26**, 5), la division des partis juifs pouvait favoriser une émeute. L'inquiétude de se trouver compromis auprès du gouvernement romain par un « messie » auquel ils ne croyaient pas et sur lequel se fixaient les aspirations populaires (cf. Jn. **11**, 48). Enfin, si paradoxal que cela puisse paraître après les deux raisons précédentes, Jésus pouvait trouver des appuis dans des milieux qui avaient contact avec les Romains; il mangeait avec les publicains; il était entré en relation avec des centurions (Mt. **8**, 5); des païens désiraient le voir (Jn. **12**, 20). Il fallait couper court à des sympathies possibles, en compromettant l'autorité romaine (3).

Reste à comprendre comment a pu se perdre, dans les récits évangéliques actuels, le souvenir explicite des trois jours de la Passion.

(1) Cf. Josèphe, *B. J.* II, **8**, 1; *A. J.* XX, **9**, 1. Les Romains fermaient sans doute les yeux sur des affaires purement intérieures ou qui ressortissaient exclusivement de la loi juive (cf. la lapidation d'Etienne). Il faut certainement distinguer le droit théorique et les applications de fait. Cf. aussi *Burkill*, « The competence of the Sanhedrin », *Vig. Christ.* X (1956), p. 80-86.

(2) Voir les analyses de M. Cullmann sur le mouvement zélote autour de Jésus et sur le procès romain (*ibid.*, p. 5-35; *Dieu et César*, p. 11-53).

(3) L'épisode de la femme de Pilate suggère qu'il y eut des démarches faites pour essayer de sauver Jésus.

La catéchèse primitive s'intéressait beaucoup plus à la substance des faits et à leur portée doctrinale qu'à leur enchaînement chronologique. Elle portait le kérygme du message et précisait les faits qui étaient en rapport avec ce message. (Cf. les résumés de catéchèse conservés en Ac. **2**, 22-36; **10**, 36-43). Elle gardait les détails qui l'intéressaient, mais se souciait peu des datations. Cette indifférence à l'aspect biographique est très évident dans l'évangile de Marc qui se présente pourtant comme un récit; il ne permet ni de dater le ministère de Jésus, ni d'en connaître la durée. Les blocages de perspectives étaient donc faciles. Les *deux* interrogatoires d'Anne et de Caïphe, tous *deux* grands prêtres, pouvaient se fondre en un seul chez Mc./Mt. De même les *deux* réunions du Sanhédrin chez Luc, les *deux* comparutions devant Pilate chez Marc et Jean. Il importait de faire connaître la substance des événements de la Passion, le scandale inouï du Roi-Messie crucifié, les responsabilités engagées, tout ce qui était porteur de doctrine aux nouveaux catéchumènes; mais le blocage des éléments *analogues* devait plutôt aider les résumés de catéchèse. Quand cette catéchèse passa d'un milieu palestinien à un monde païen, qui ne connaissait que la seule Pâque des Juifs de la diaspora au 15 du mois lunaire, on dut tendre à rapprocher le dernier repas de Jésus de la Pâque légale. La tradition évangélique ne se condensa que peu à peu; longtemps elle demeura relativement fluide, en étroite relation avec la catéchèse orale.

Le cas le plus patent est le transfert par Mc./Mt. de la grande séance du Sanhédrin à la nuit précédente. Ceci suppose assurément l'oubli des conditions réelles dans lesquelles s'était passé le jugement, et la disparition des témoins oculaires. Il ne faut pas oublier dans quelles conditions se transmit le message chrétien dans la communauté romaine. En pleine persécution de 64 sous Néron, ce n'était pas le moment de préciser les détails chronologiques, mais de transmettre le message essentiel du salut. Il n'était pas nécessaire d'ailleurs de violenter beaucoup une tradition déjà substantiellement figée. Le morceau Mc. **14,** 55-65 forme un bloc à l'intérieur du reniement de Pierre. Il a pu être simplement transporté de sa place primitive (entre **14,** 72 et **15,** 1). Il suffisait alors d'une légère retouche au v. 53b; mais nous ignorerons toujours le texte primitif de l'interrogatoire de nuit dans Marc.

Une fois admise, la nouvelle hypothèse pourrait ne pas être inutile pour l'histoire de la formation des évangiles. Elle offre en effet une occasion privilégiée d'étudier, à partir d'un point de départ désormais connu, les adaptations de la chronologie des trois jours subies par chaque tradition suivant sa ligne propre. Elle doit normalement recouper les résultats déjà obtenus par la critique littéraire des textes.

Nous pouvons observer que Matthieu suit Marc dans le transfert, et qu'il renchérit en **26,** 57 où il glose « Caïphe », ce qui manifeste le caractère secondaire du Matthieu grec actuel par rapport à Marc, comme l'a reconnu depuis longtemps la critique. Mais, en même temps, le matériel qu'il utilise, — ceci rejoint d'autres observations — est souvent plus ancien et plus informé que Marc : c'est le « plus tard » du ɤ. 60; la remarque en **27,** 1 qu'il s'agit d'une séance pour mettre Jésus à mort; le rassemblement qu'opère Pilate au ɤ. 17.

Il est remarquable que Luc, qui sait fort bien

utiliser Marc, ne l'ait pas suivi dans le transfert de la séance de nuit. Sans doute possédait-il d'autres informations; mais on pourrait se demander aussi s'il n'avait pas entre les mains une édition plus ancienne de Marc. D'ailleurs l'auteur du IIIe évangile, plus soucieux que les autres de l'ordonnance des faits (cf. Lc. **1**, 3), paraît avoir éprouvé un certain embarras devant des traditions disparates qu'il ne comprenait plus. Possédant une tradition de Jésus chez Hérode, il a dû se poser singulièrement le problème du temps et réduit à une les deux séances du Sanhédrin.

Quant à la manière johannique, elle est tout à fait originale, comme d'habitude. Jean saute les deux séances du Sanhédrin — par contre il s'étend sur l'interrogatoire d'Anne. On ne peut se défaire de l'impression qu'il s'agit là d'un souvenir personnel (« l'autre disciple » **18,** 15). Il comprime en une seule les deux sessions de Pilate, guidé par une théologie de la royauté de Jésus : le centre littéraire et théologique de l'épisode désormais unique, c'est la couronne d'épines (1). Souvenirs personnels, élaboration théologique, telles étaient bien les caractéristiques de l'évangile de Jean. La chronologie des trois jours montre que l'information de base du IVe évangile cadre, dans ses datations, avec celle des synop-

---

(1) Dans la divergence qui existe ici entre Mc./Mt. et Jn. sur le moment du couronnement d'épines, la vraisemblance est du côté de Jean qui place le jeu du couronnement pendant les discussions de Pilate avec les Juifs. Par contre, la flagellation a dû avoir lieu, comme il était normal, avant le supplice (φραγελλώσας) Mc. **15,** 15/Mt. **27,** 26, ce qui ne supprime sans doute pas le « châtiment » de Pilate (Jn. **19,** 1; Lc. **23,** 16, 22).

tiques, bien qu'ayant suivi une filière absolument différente.

On a souvent cherché à établir des règles sur la manière dont s'était formé et transmis le substrat évangélique. En ce qui concerne les récits de la Passion, les résultats de l'analyse prouvent que la tradition évangélique a obéi à des lois de *compression* et de *réduction des analogues*. C'est là une constatation rassurante pour la fidélité aux sources. Sous le couvert de leur autorité apostolique, l'Eglise conservait des épisodes ou des récits apparemment contradictoires, difficiles à coordonner. Sans se soucier de ces incohérences, elle gardait au cœur de sa liturgie la tradition du mercredi sur l'enlèvement de l'époux, dont la signification évoluait progressivement, mais elle n'accepta jamais de sacrifier l'un des deux bouts d'une chaîne dont elle ne voyait plus les anneaux : *la Cène, repas pascal ; Jésus, agneau pascal.*

En définitive, bien loin de contredire la tradition et l'analogie liturgiques, les évangiles les confirment, d'un accord d'autant plus profond qu'il est moins consciemment recherché. La chronologie de la Passion la plus anciennement attestée, puisqu'elle est d'origine judéo-chrétienne, résout le conflit de Jean et des Synoptiques sur le jour de la mort de Jésus; elle rend plus intelligible le déroulement des événements dans les divers récits de la Passion. La thèse d'une Cène au mardi soir, qui pouvait paraître révolutionnaire, s'avère en réalité éminemment conservatrice.

Cette solution nouvelle permet un contact plus étroit avec certains aspects de la foi chrétienne primitive. Pour la première génération chrétienne, Jésus avait célébré la Pâque au début de la nuit du mardi au mercredi, suivant le calendrier sacré qui scandait au désert les marches du peuple saint et réglait la liturgie ancienne du Temple. Ainsi la dernière Cène se chargeait-elle de tous les souvenirs de la vénérable tradition sacerdotale. Elle remplaçait les repas sacrificiels de l'ancienne Loi. En elle culminait la liturgie des Azymes. Mais en mourant le vendredi, veille de la Pâque officielle, Jésus se substituait aux agneaux immolés dans le temple, seule victime désormais offerte à la place des agneaux et des boucs. Sur ces deux lignes sacrificielles, le Christ recueillait le double héritage de la tradition juive et lui donnait son plein achèvement. Nul doute que ce ne fût la croyance primitive de la communauté chrétienne :

« Purifiez-vous du vieux levain... Notre Pâque, le Christ, a été immolé » (I Cor. **5, 7**).

Ces jours parlaient donc pour les disciples de Jésus.

« Pourquoi un jour est-il plus grand que l'autre ? demandait Ben Sira. C'est qu'ils ont été distingués dans la pensée du Seigneur, qui a exalté et consacré les uns et fait des autres des jours ordinaires (1) ».

Ils parlaient de tout leur symbolisme pascal. Ils parlaient comme jours déjà consacrés par le calendrier ancien. Nul doute que la préexistence de ces jours liturgiques n'ait guidé la piété chrétienne et n'ait contribué de tout son poids à les mettre en relief dans la semaine de la Passion (2). Mais enfin les coïncidences étaient fortes; elles se soulignaient d'elles-mêmes. Dieu, maître des temps de l'histoire, selon la forte doctrine du livre de Daniel, avait réglé lui-même le cours des événements qui obéissaient à sa main. Le *mercredi*, Jésus était livré; la *vendredi*, il mourait. Ces jours étaient des signes de Dieu; langage clair et déchiffrable pour la première communauté chrétienne. L'histoire, de toutes la plus sainte, celle du Messie qui accomplissait les Ecritures, se déroulait selon un rituel consacré. Grand prêtre unique de l'Alliance nouvelle, il « se livrait à une mort volontaire », sachant que « l'heure »

(1) Sir. **33**, 7-9. Trad. Bible de Jérusalem.
(2) Si les jours préexistants avaient été autres, on eût pu sans doute exalter le jeudi, jour de verdict; le samedi du séjour au tombeau; mais les coïncidences étaient moins remarquables. Dans des milieux où l'on comptait le jour à partir du lever du soleil on devait avoir tendance à oublier le mardi soir. On peut noter que le vendredi de la crucifixion remplaçait le vendredi de la fête des Expiations (10/VII).

était venue, « au temps marqué » (κατὰ καιρόν). Le dernier « signe » serait celui du *dimanche* de la Résurrection, premier jour de la semaine liturgique, aurore des temps nouveaux, qui ouvrait — en sa qualité de 1er et 8e jour — la grande semaine messianique (1).

Ce n'est pas un des moindres étonnements de la nouvelle datation que ces correspondances intimes qui introduisent au cœur de la liturgie chrétienne primitive. Nous n'avons pas fini d'explorer les aspects variés du champ qui s'ouvre à la recherche, conjointement à celui des documents de Qumrân; qu'il s'agisse de l'interprétation des documents sacerdotaux, de la diversité des milieux juifs au temps de Jésus et de leurs relations entre eux et avec le temple, ou encore du processus de formation des évangiles, ou des origines palestiniennes de la liturgie romaine.

Peut-être enfin saisirons-nous mieux les dimensions du drame qui se passa en Judée au premier siècle de notre ère. Mais déjà nous touchons un autre ordre. Cette nouvelle chronologie de la Passion intéresse la science des origines chrétiennes. Elle ne sera pas indifférente au cœur d'un croyant.

(1) Ce symbolisme est certainement souligné dans Jean (**20,** 1, 19); la dernière apparition qui ouvre les temps de l'Eglise a lieu « 8 jours après » (**20,** 26). Cf. dans l'*Hénoch slave* l'exaltation du dimanche, 1er et 8e jour (éd. Vaillant, p. 102-105). De même *Epître de Barnabé* **15,** 8-9 et Justin, *Dial.* **41,** 4; **138,** 1; I *Apol.* **67,** 7.

APPENDICES

LA DATE DES JUBILÉS
ET LA FIGURE DE JUDA, FILS DE JACOB

La date des Jubilés a été fortement controversée.
On trouvera des indications sur l'historique de la
question et les critères de datation dans l'Introduction de Charles à son livre des *Jubilés*, dans Frey
(« Apocryphes de l'Ancien Testament », *D. B. S.*
I 371-380), dans Rowley (*The Relevance of Apoca-
lyptic*, Londres, 1947, p. 84-90). Cf. aussi Lods,
Histoire de la littérature hébraïque et juive, Paris, 1950,
p. 816.

Les datations proposées varient du IVe s. av. J.-C.
à la dernière moitié du Ier s. de notre ère. Mais la
zone moyenne — et raisonnable — d'oscillation de la
critique se situe dans les deux premiers siècles
avant J.-C. entre les temps maccabéens et la montée
au pouvoir de l'Iduméen Hérode en 37 av. J.-C.;
ce *terminus ad quem* se fonde sur l'allusion de Jub.
35, 23 et **38,** 14 à la soumission des fils d'Edom
(les Iduméens) aux fils de Jacob « jusqu'à ce jour ».
Pourtant la plupart des critiques ne dépassent pas
100 av. J.-C., car — à part le difficile chapitre **23** —
toutes les allusions historiques repérables se placent
au second siècle. Le *terminus a quo* est obtenu par

les allusions évidentes aux persécutions d'Antiochus Epiphane et aux guerres maccabéennes.

Voici une remarque à propos de ce *terminus a quo*. Aux chapitres **37** et **38** des Jubilés, la guerre des fils de Jacob contre les fils d'Esaü présente des ressemblances étonnantes avec celle de Judas Maccabée contre les Edomites, et inversement il apparaît que la geste de Judas Maccabée, dans sa rédaction littéraire, a été influencée par le souvenir de Juda, fils de Jacob ; l'homonymie des deux noms est totale en hébreu.

Le récit de la Genèse contait seulement la rivalité d'Esaü et de Jacob. Dans les Jubilés, *les fils d'Esaü*, plus méchants que leur père, prennent l'initiative du combat (**37,** 1-5) ; ils montent une coalition avec les nations d'alentour (Ammonites, Moabites, Philistins, Kittim...) (**37,** 6-10). Les *fils de Jacob* combattent avec leur père et le premier rôle est dévolu à *Juda* (**38,** 1-5) qui prend la tête des troupes. Comparons le récit de I Mac. **5,** 1-3 :

Lorsque les nations d'alentour eurent appris que l'autel avait été reconstruit et le sanctuaire rétabli comme il avait été auparavant, elles furent très irritées. Elles résolurent d'exterminer *la descendance de Jacob* qui vivait parmi eux, et elles commencèrent à les massacrer et à les poursuivre. Et *Judas* fit la guerre aux *fils d'Esaü* en Idumée, au pays d'Acrabatane, parce qu'ils attaquaient Israël.

Dans les deux épisodes est au premier plan la figure de Juda(s) qui mène victorieusement la guerre des fils de Jacob contre les fils d'Esaü.

On trouverait la même ambivalence de la figure de Juda dans les *Chroniques de Jeraḥméel*, recueil de traditions juives en hébreu, d'époques diverses et de valeur très inégale, mais dont certaines s'apparentent singulièrement aux traditions maccabéennes et au livre des Jubilés. (Cf. Gaster, *The Chronicles of Jerahmeel*, Londres, 1899, p. 84-87).

Judas Maccabée était le sauveur d'Israël (I Mac. **9, 21**); de même, dans les Jubilés, Jacob prophétisait à son fils Juda :

« Tu seras le secours de Jacob et en toi se trouvera le salut d'Israël (Jub. **31, 19**).

L'image du lion, caractéristique de Juda dans la prophétie de Jacob (Gen. **49, 9**), est appliquée à Judas Maccabée :

« Il était dans l'action pareil au *lion*, comme le lionceau qui rugit sur sa proie... Il fit l'amertume de bien des rois et il réjouit *Jacob* par ses exploits » (I Mac. **3, 4**). (Cf. Gaster, *The Chronicles...* p. 271).

Ainsi on ne peut douter que furent transférées sur la personne de Judas Maccabée les prophéties qui concernaient Juda, fils de Jacob; les espérances messianiques se reportèrent au moins momentanément sur Judas Maccabée. Il est remarquable que dans les *Chroniques de Jerahmeel* on lui confère le titre de « Oint de la Bataille » (ch. **94** et **95**) (*ibid.*, p. 276-279).

TEXTES RELATIFS
A UN CYCLE SOLAIRE DE 28 ANS
COMMENÇANT AU MERCREDI
DANS LE JUDAISME

1. *Talmud de Babylone.*

En *Berakhot* 59*b* est rapportée l'opinion d'Abaye, Amora babylonien (fin IIIe-début IVe s.).

« Les rabbins enseignaient : En voyant le soleil dans sa *tequfah* (solstice ou équinoxe), la lune dans sa force, les étoiles dans leur voie et les planètes suivant leur ordre, on dira : Que soit béni l'auteur de la Création. Quand cela se passe-t-il? Abaye disait : Tous les 28 ans, quand le cycle revient et que la *tequfah* de Nisan (équinoxe du printemps) arrive dans Saturne, dans *la nuit du troisième au quatrième jour.* »

Ce passage est inséré dans des bénédictions pour la création, référence implicite au texte de la Genèse. Le départ du cycle devait se faire à la pleine lune (« la lune dans sa force »).

Un commentaire de Rashi sur ce passage fait remonter ce cycle au babylonien Samuel Yarḥina'ah (fin IIe s.).

2. Pirqé Rabbi Eliézer.

D'après Friedlaender, dont nous suivons ici la traduction (*Pirqé Rabbi Eliézer*, Londres, 1916) et selon l'opinion commune, les *Pirqé* représentent une tradition *palestinienne*. Friedlaender signale en outre longuement les rapprochements littéraires qui existent, malgré des pointes polémiques, entre cet apocryphe et des œuvres comme les *Jubilés*, *I* et *II Hénoch*, les *Testaments des XII Patriarches*, *l'Apocalypse syriaque de Baruch*, *le Livre de la Sagesse*, *le Livre d'Adam et d'Eve* (Introd., p. xxi-liii). Tous ces livres sont pour nous d'un grand intérêt, comme ayant été transmis par un milieu chrétien.

C'est dans un chapitre sur la création que se trouvent les textes relatifs aux trajets de la lune et du soleil. A propos du quatrième jour de la création sont longuement décrits les cycles solaire et planétaire (1). Le grand cycle du soleil est de 28 ans; il comprend sept petits cycles, chacun de 4 ans. Le nombre des jours de l'année solaire est de 365 jours 1/4; les quatre saisons de l'année sont chacune de 91 jours 7 h. 1/2. Le premier cycle de 4 ans commence *au début du 4e jour* à la *tequfah* de Nisan; le second cycle commence avec 5 jours de décalage (4 × 1 j. 1/4) au début du 2e jour de la semaine; le 3e au début du 7e jour et ainsi de suite au début des 5e, 3e, 1er et 6e jour. A la fin des sept cycles de 4 ans, « à la fin des 35 jours » (inter-

---

(1) Sur la semaine planétaire dans la littérature hébraïque, M. Vajda veut bien me signaler l'article de S. Gandz dans *Proceedings of the American Academy for Jewish Research*, XVIII (1948-1949), p. 213-254.

calés?) du grand cycle de 28 ans, le cycle de la *tequfah* recommence « *au début du* 4e *jour*, à l'heure de Saturne, à l'heure où il fut créé » (*ibid.*, p. 34-37. Certains passages sont obscurs et ont visiblement souffert dans la transmission du texte).

Cette intercalation de 35 jours est remarquable. Il est évident qu'elle comble exactement la différence qui existe entre 28 années de 364 jours et le cycle solaire. Il n'est pas dit comment étaient répartis ces 35 jours; mais comme ils forment un nombre exact de semaines (5 semaines), c'est un système d'intercalation qui conviendrait bien à un calendrier du type Jubilés.

Les trajets de la lune doivent prendre aussi leur point de départ au début de la nuit du mercredi; mais il est difficile de préciser s'il s'agit ici d'une nouvelle lune ou d'une pleine lune comme chez les Magarya (p. 43-50). Pour concilier la durée des cycles solaire et lunaire on est amené à considérer un cycle de 84 ans. A ce moment-là soleil et lune coïncideraient à nouveau

« *au début de la veille du quatrième jour*, à l'heure de Saturne, *à l'heure où ils furent créés* » (p. 49).

3. *Al Biruni.*

Dans un chapitre de sa *Chronologie des peuples orientaux* où Al-Biruni traite des computs juifs dans leur ensemble, il mentionne, après plusieurs cycles juifs, d'autres cycles appelés *tequfoth*, « *La tequfah* signifiant le commencement de chacune des quatre parties de l'année ».

Les Juifs calculent les intervalles entre deux *tequfoth*, soit d'une manière savante, identique à celle de

Ptolémée, et dans ce cas les intervalles entre deux *tequfoth* sont irréguliers, soit d'une manière commune et dans ce cas l'intervalle entre deux *tequfoth* est de 91 jours 7 h. 1/2 (*Chronology*, p. 162-163).

Quelques pages plus loin, Al-Biruni indique comment dans la pratique les juifs calculent les *tequfoth* d'une année :

« Si les Juifs désirent trouver les quarts d'année, ou *tequfoth* d'une année quelconque, ils prennent les années de l'ère d'Adam en y comprenant l'année courante, et les convertissent en cycles solaires (en les divisant par 28). Quant aux années restantes ils comptent pour chaque année 30 heures, c'est-à-dire 1 j. 1/4. Ils négligent le nombre de semaines contenu dans cette somme, si bien qu'ils obtiennent finalement un nombre de jours inférieur à sept. Ces jours, ou bien ils les comptent depuis le *commencement de la nuit du mercredi*, ou bien ils les augmentent de 3 et comptent leur somme depuis le début de la nuit du dimanche. Cela les mène à la *tequfah* de Nisan, c'est-à-dire l'équinoxe du printemps de l'année en question...

S'ils comptent la somme des jours depuis *le début de la nuit du mercredi*, c'est parce que *certains* d'entre eux affirment que le soleil fut créé le mercredi, le 27 de Elul, et que la *tequfah* de Tishri (équinoxe d'automne) a eu lieu à la fin de la troisième heure du jour, le mercredi 5 de Tishri. D'autre part, ils font traverser au soleil les deux quarts d'année du printemps et de l'été en 182 jours 15 heures, dans le cas où ils ne comptent pas avec une exactitude mathématique, comme nous l'avons vu auparavant. Maintenant si nous convertissons ces 182 jours 15 heures en semaines, les jours disparaissent et nous obtenons seulement un reste de 15 heures. Si alors nous calculons en remontant depuis la *tequfah* de Tishri et que nous comptions ces heures, nous arrivons au début de la première heure de la nuit du mercredi. Et c'est de ce moment que part le comput dont nous avons parlé.

D'autres parmi les Juifs affirment que le soleil fut créé dans la première partie du Bélier, au moment d'où part le calcul des *tequfoth*, qu'il était en conjonction avec la lune... » (*ibid.*, p. 168).

Dans ce texte, qui n'est pas toujours clair, se retrouvent des notions déjà rencontrées dans *Pirké Rabbi Eliézer*. Le calcul est encore basé sur la différence entre une année de 364 jours et une année de 365 j. 1/4, soit 1 j. 1/4 ou 30 heures. Au bout de 28 années de 364 jours, la différence avec le cycle solaire forme un nombre exact de semaines. L'élimination dans le calcul des *tequfoth*, du nombre exact de semaines formées par l'addition des 30 heures supplémentaires par an, manifeste de toute évidence le souci que les calculs soient toujours rapportés à un point de départ qui est le même jour de la semaine; or, ce point de départ est encore le début de la nuit du *mercredi*. Le dimanche, premier jour de la création, est secondaire par rapport au mercredi puisqu'il ne s'obtient que par une addition supplémentaire. C'est pourtant à partir de la nuit du dimanche que Al-Biruni établit la table des *tequfoth* qui suit ce passage, preuve que les Juifs comptaient communément à partir du dimanche; il est d'autant plus significatif que Al-Biruni éprouve la nécessité de signaler l'antériorité d'un comput au mercredi.

A quel mercredi se réfèrent les calculs? Sans doute à celui qui précède immédiatement l'équinoxe du printemps (1er §) (1). Mais le second paragraphe

(1) Puisque chaque année ce mercredi est en retard d'un jour 1/4 sur l'année solaire. Ce texte *semble* indiquer qu'il y avait deux manières de calculer l'équinoxe, l'une au

superpose curieusement des conceptions hétéro-
gènes l'une à l'autre. La création du soleil au mercredi
y est datée du 27 Elul; l'équinoxe d'automne se
place 8 jours après, un mercredi (Elul ayant 29 jours),
le 5 de Tishri, à la fin de la troisième heure du jour,
c'est-à-dire 15 heures après le début de la nuit du
mercredi 5. Pourquoi, maintenant, ce calcul en
marche arrière de deux quarts d'année (printemps
et été) sinon pour se reporter au point de départ
du comput, à l'équinoxe du printemps? Mais ce
point de départ, 182 jours plus haut, semble inspiré
d'un calendrier de type Jubilés avec ses unités de
temps trimestrielles de 91 jours (quart d'année)
qui commencent au mercredi 1/I. En effet dans un
calendrier juif à mois lunaires, en comptant en arrière
depuis le début de la nuit du 5e jour de Tishri, on ne
totaliserait jusqu'au 1er Nisan inclus que 181 jours (1).
Dans un calendrier de type Jubilés l'intervalle entre
les deux moitiés de l'année est de 182 jours. Nous
nous trouverions ici devant la superposition de

dimanche (usage commun), l'autre au mercredi (usage mino-
ritaire qui nous intéresse ici). Le calcul suppose qu'on connaisse
la semaine où tombe l'équinoxe du printemps, sinon il faut,
à partir de la 7e année du cycle, ajouter de une à quatre
semaines pour trouver la *tequfah*. Nous restons toujours
perplexes sur la manière dont un tel comput intercalait en
28 ans ses 35 jours ou 5 semaines. Une tradition de l'équinoxe au dimanche, 1er jour de la création, se trouvera chez
des auteurs chrétiens (App. III, n. 1, p. 152).

(1) En additionnant 4 jours de Tishri aux 6 mois précé-
dents, dont 3 mois de 29 jours (Elul, Tammuz, Iyyar) et 3 mois
de 30 jours (Abh, Siwan, Nisan).

Dans les *Pirké*, soleil et lune furent créés le 28 Elul (éd.
Frielaender, p. 52); tradition qui contredit le départ du
comput en Nisan (*ibid.*, p. 35).

deux types de calendriers, l'un à mois lunaires, commençant en automne, l'autre de type solaire — à quatre saisons — commençant au printemps et dont il ne reste que des organes-témoins.

Dans le 3e paragraphe l'auteur souligne que certains Juifs maintenaient que le soleil avait été créé dans la première partie du Bélier, donc au début du printemps. La tradition juive hésitait entre ces deux dates de la naissance du monde (1).

Il semble donc que l'on puisse tirer de cette page deux conséquences importantes : La première est que nous sont indirectement attestées, comme dans *Pirqé Rabbi Eliézer*, des survivances d'un comput apparenté à celui des Jubilés, comput fondé essentiellement sur la semaine et dont le premier souci était de rapporter les calculs à un jour *fixe* de la semaine. La seconde est que, dans un milieu juif ancien, — antérieurement à l'usage auquel se réfère Al-Biruni — le point de départ du comput communément adopté était un mercredi, au début du printemps. Ainsi nous est prouvée, par l'ensemble des textes réunis, une large base juive commune pour le départ d'un calendrier au mercredi.

Quant au cycle de 28 ans, rencontré ici, il serait bien intéressant d'en connaître l'origine. Un cycle de 28 ans se trouve attesté également chez des auteurs ecclésiastiques. On l'explique en général par la remarque qu'auraient faite les computistes chrétiens, auteurs de calendriers perpétuels, qu'au bout de 28 années juliennes de 365 j. 1/4 les jours de la

---

(1) Cf. la discussion piquante de *Rosh Hashanah* 11a entre R. Jehosua et R. Eliézer. Pour Philon le monde avait été créé au printemps (*Spec. leg.* II 151-152); de même pour les auteurs chrétiens anciens (cf. App. III, p. 151-152).

semaine revenaient dans le même ordre au début de la 29ᵉ année. Mais on ne trouve guère de renseignements sur l'origine de ce cycle chrétien de 28 ans. Il faudrait pourtant essayer de tirer au clair s'il existe des rapports entre le cycle chrétien et le cycle juif de même durée.

Ce comput de 28 ans, uniquement fondé sur la semaine, ne s'explique bien que dans des milieux où le jour de la semaine qui débutait l'année revêtait une très grande importance. Bien que Rashi ne connaisse comme auteur qu'un babylonien du second siècle, on serait porté à croire à une origine plus ancienne dans le milieu juif. Les computistes juifs, désireux de rééquilibrer le calendrier de 364 jours par rapport à l'année solaire, ont pu se rendre compte — avec ou sans l'aide du calendrier julien — qu'il fallait intercaler 5 semaines en 28 ans. La difficulté c'est que jusqu'ici n'est attestée nulle part dans le judaïsme préchrétien un cycle de 28 ans ni une intercalation de 5 semaines ou 35 jours. Pour le cycle de 84 ans, au contraire, considéré dans les *Pirké Rabbi Eliézer* comme un multiple du cycle de 28 ans, certains auteurs chrétiens parlent d'influences juives (1).

---

(1) Cf. *D. A. C. L.*, *ibid.*, c. 1532-1534, spécialement c. 1533, n. 3. Peu de chose de ce point de vue dans KRUSH, *Studien zur christlichmitteralt. Chronologie. Der 84 jährige Ostercyclus und seine Quellen*, Leipzig, 1880.

LA QUESTION LUNAIRE

La question lunaire se pose fortement à propos de la notice déjà citée d'Al-Biruni sur les Magarya. En effet, pour les Magarya

« Les fêtes ne sont légales que lorsque la lune apparaît pleine en Palestine dans la nuit du mercredi qui suit le jour du mardi, après le coucher du soleil. C'est là leur jour de Nouvel An. C'est à partir de ce moment que sont comptés les jours et les mois et que commence le cycle annuel des fêtes. Car Dieu a créé les deux grands luminaires le mercredi ».

L'écrivain caraïte Qirqisani ajoutait à propos des mêmes Magarya :

« La lune n'est jamais plus grande que lorsqu'elle est pleine. Cela eut lieu le quatrième jour de la création, mais cela ne contredit pas que ce soit le premier jour du mois » (Cf. *R. B.*, LVII (1950), p. 422) (1).

(1) Cette affirmation doit être contrebalancée par l'indication en sens inverse donnée dans l'exposé de Qirqisani sur les sectes juives : trad. Nemoy en *H. U. C. A.* VII (1930), p. 363 : « les Magarya fixent le début du mois par l'apparition de la nouvelle lune ». Cette contradiction montre peut-être qu'il y eut un transfert de la pleine lune à la nouvelle lune au début du mois (cf. p. 153), mais les écrivains postérieurs comme Al-Biruni et Qirqisani ne pouvaient discerner les dates diverses des renseignements qu'ils avaient recueillis.

Ces textes posent plusieurs questions :

a) *Une pleine lune au quatrième jour de la création?*

Cette doctrine n'est *pas spécifique des Magarya*. Il est probable que c'est l'idée primitive des milieux juifs qui faisaient du 4e jour le point de départ du comput solaire. Abaye dit clairement : « la lune dans sa force » (voir App. II). Dans les *Pirké* et le texte d'Al-Biruni, le départ du soleil se fait en conjonction avec la lune sans qu'on puisse déterminer s'il s'agit d'une pleine lune. Mais l'analogie et la « logique » semblent le prouver. Il fallait bien en effet que dès le premier soir la lune accomplît dignement ses fonctions ! Dieu ne pouvait créer les astres que dans leur perfection, comme le dit en propres termes Qirqisani.

Or, cette idée d'une pleine lune au 4e jour de la création se retrouve chez les *auteurs chrétiens anciens*. Seulement chez eux ce 4e jour de la création est celui dont la Pâque est l'anniversaire. Ainsi le *De Pascha Computus :*

« La lune créée quinzième le V des calendes d'avril » (*C. S. E. L.* **3**, 3, p. 253).

Le monde ayant été créé à l'équinoxe du printemps — donc le VIII des calendes d'avril (25 mars) d'après la date officielle du calendrier julien — un dimanche naturellement — le V des calendes d'avril représente un mercredi. De même Quintus Julius Hilarianus :

« Le quatrième jour, c'est-à-dire le V des calendes d'avril, la lune a été créée vers le soir, quatorzième, afin d'éclairer les ténèbres de cette première nuit... Dieu a voulu que la semaine de la Pâque commençât à la quatorzième lune vers le soir afin que, lorsque luirait le jour de la Pâque qui est le premier de cette même semaine, la quinzième lune fût pour eux le premier jour des Azymes » (*Expositum de die Paschae. P. L.* **13,** 1109).

Il est assez frappant que de ces deux textes se dégage indirectement — mais pour des raisons lunaires cette fois! — que le jour idéal de la Pâque juive devait être un mercredi, anniversaire de la pleine lune de la création (1). On pourrait joindre aussi le récit savoureux d'un synode qui aurait été tenu à Césarée par Théophile et où les évêques discutent de la date de Pâques : La lune a été créée pleine comme il se doit (*P. G.* **5,** 1368).

Cette association que font les auteurs chrétiens entre la lune du 4e jour de la création et la lune pascale amène à poser une nouvelle question :

b) *Une pleine lune au début ou au milieu du mois?*

(1) On pourrait y voir la survivance inconsciente du souvenir de la Pâque au mercredi. Mais la tradition chrétienne était loin d'être unifiée. En effet, d'autres courants interfèrent : *a*) le jour de Pâques, célébré un dimanche, est mis en rapport avec le premier jour de la création comme étant la nouvelle création, donc anniversaire de la naissance du monde (cf. *P. G.,* **5,** 1369; *Livre d'Adam et d'Eve,* p. 82; EUSÈBE, *P. G.,* **24,** 697); ce dimanche de la création était situé à l'équinoxe du printemps, car le premier jour Dieu avait partagé lumière et ténèbres en parties égales (*P. G.,* **5,** 1368; *P. L.* **13,** 1108); *b*) la mort du Christ, suivant la date la plus ancienne que nous connaissions, celle d'Hippolyte (table pascale et *in Dan.* IV, **23,** 3) tombait un vendredi 25 mars, donc en coincidence avec l'équinoxe du printemps. Ainsi la mort du Christ rachetait-elle le monde en l'anniversaire du jour même de la création; d'où aussi la date de l'Annonciation (25 mars), le Christ n'ayant pu passer sur terre qu'un nombre parfait d'années (cf. DUCHESNE, *Origines du culte chrétien,* Paris, 1902, p. 262-263).

Ces divers symbolismes n'étaient pas favorables au maintien du souvenir d'une Pâque au mercredi.

Chez les chrétiens, puisqu'il s'agit de la lune pascale, c'est évidemment celle du milieu du mois (lune quatorzième ou quinzième). Mais les textes sur les Magarya affirment qu'il s'agit de celle du début du mois ou de l'année. Ceci peut paraître extrêmement curieux, cependant certains savants ont pensé qu'un tel système avait existé dans le judaïsme (cf. *Encyclopedia judaica*, art. Kalender, IX, 798) (1) et nous en trouvons des témoignages dans des auteurs anciens.

Voici encore, du côté chrétien, Q. Julius Hilarianus :

« Lorsque il n'y avait pas encore eu de loi donnée par le Seigneur tout-puissant, les hommes hésitaient assez souvent sur le cours de la lune. Les uns appelaient premier jour de la lune la pleine lune, telle qu'elle était sortie pour le monde sur l'ordre de Dieu, les autres étaient d'un autre avis » (*ibid.*, c. 1107).

Du côté juif un texte étonnant a été cité par Poznanski. C'est à propos de Yefet et Yeschoua ben Yehouda qui parlent de juifs partisans de la pleine lune au début du mois. Yefet — dans son commentaire sur Gen. **1**, 14 — déclare qu'ils n'existent plus. Mais le glossateur des paroles de Yefet a compris qu'il s'agissait de « Sadducéens » , :

« Les mots du savant (*Yefet*) désignent ceux qui

(1) Morgenstern pense que la Pâque était anciennement célébrée à la nouvelle lune du mois d'Abib (interprétation de *hodesh* en Ex. **34,** 18; Dt. **16,** 1); voir *H. U. C. A.* X (1935), « Supplementary Studies in the calendars of ancient Israel », p. 5-7.

On peut se demander si, à un moment quelconque en Israël, il n'y a pas eu transfert de la pleine lune du 1er du mois, mais quelle qu'ait été la numérotation, le début du comput aurait toujours été assigné à la pleine lune du 4e jour de la création.

regardent comme première nuit du nouveau mois celle
dans laquelle la lune devient pleine, c'est-à-dire la quinzième nuit. Ces paroles confondent ceux qui se rendent
coupables de mensonge et de faux témoignage en pré-
tendant que les Caraïtes sont les mêmes que les Sadducéens. Car, s'il en était ainsi, nous devrions imiter ces
derniers, en ce qu'ils commencent le mois (religieux) au
milieu du mois (astronomique). Or nous faisons tout
autrement. » (*R. E. J.* XLIV (1902), « Anan et ses écrits »,
p. 171-172).

Quels sont donc ces singuliers « Sadducéens » avec
lesquels les Caraïtes refusent de se laisser confondre ?
On ne peut s'empêcher de penser aux Magarya-
Qumraniens (1). Mais alors se soulève une autre
question :

c) *Comment une conjonction avec la lune peut-elle
exister dans un calendrier solaire ?*

Une année de douze mois lunaires formant un total
de 354 jours, il est évidemment impossible que si, la
première année, la conjonction est réalisée, elle puisse
l'être, au moins les deux années suivantes, avec un
calendrier solaire de 364 jours. Il faut donc supposer
que les Magarya avaient le souci de rejoindre la
conjonction *idéale* du 4e jour de la création, mais on
peut se demander comment ils la réalisaient dans la
pratique (2). Peut-être le ch. **74** des Luminaires
d'Hénoch répondait-il à cette préoccupation; l'état

(1) Le rapprochement s'impose d'autant plus que chez
les « Sadducéens », au dire du caraïte Qirqisani, tous les mois
étaient de 30 jours (*H. U. C. A.* VII (1930), p. 363).
(2) Un document récent de 4Q éclaire ce problème. Voir la
communication, revue et complétée, de Mɪʟɪᴋ, *Supplement to
V. T.*, IV., p. 25. Le synchronisme du calendrier lunaire et

actuel du texte est trop confus pour être à lui seul d'un grand secours. Il prouve en tout cas que les trajets lunaires revêtaient une grande importance aux yeux des adeptes de son calendrier. Donc, au moins pendant toute une période de l'histoire de la secte, on tenait grand compte des conjonctions avec la lune. Ceci est à retenir, surtout étant donné la polémique anti-lunaire des Jubilés.

Il faut en effet maintenant poser le problème lunaire d'une autre manière à l'aide des Jubilés et des textes bibliques eux-mêmes.

Dans le *récit sacerdotal de la création* la lune est mise sur le même pied que les autres luminaires pour servir de signe « aux temps (*mw'dy*), aux jours, aux années » Gen. **1**, 14). Il n'est pas question des mois. Le rôle de la lune pourrait se limiter à séparer le jour de la nuit ou à éclairer la nuit (Gen. **1**, 16); il n'est pourtant pas exclu qu'elle joue un rôle dans les *mw'dym* dont le sens exact serait à préciser, mais qui doivent avoir dans ce texte un caractère liturgique (en Ps. **104,** 19 les *mw'dym* sont mis en rapport avec la lune); les LXX traduisent καιρούς (interprété par « saisons » en Philon, *De Opificio* 59. Voir aussi Gal, **4,** 10). Si nous admettons que la lune joue un rôle dans les *mw'dy* de Gen. **1**, 14, il n'est peut-être pas néces-saire de recourir au caractère composite des docu-ments sacerdotaux pour expliquer ce fait.

du calendrier de 364 jours s'établirait au bout de 3 ans en ajoutant un mois de 30 jours dans le calendrier lunaire : $364 \times 3 = (354 \times 3) + 30$. Ne pourrait-on rapprocher cette insertion d'un mois de 30 jours du texte d'Al-Biruni cité plus haut, p. 51?

Les *Jubilés* modifient intentionnellement le récit de Gen. **1**, 14-18. Seul, le soleil a fonction

« d'être un grand signe sur la terre pour les jours, les sabbats, les mois, les fêtes, les années, les sabbats d'années, les jubilés et pour toutes les saisons de l'année » (Jub. **2**, 9).

Des reproches farouches sont adressés à

« ceux qui fondent leurs observations sur la lune — laquelle dérange les saisons et arrive d'année en année dix jours trop tôt (Jub. **6**, 36).

Ces textes s'expliquent évidemment par une polémique violente contre l'utilisation de mois lunaires dans le calendrier religieux. Comme il est dit aussi que

« tous les enfants d'Israël oublieront le chemin des années » (Jub. **6**, 34. Cf. *CDC* III, 14 : « *tout* Israël s'est égaré »),

il semble bien que les Jubilés représentent une réaction *ultra* qui prétend revenir à la stricte orthodoxie contre une pratique lunaire assez généralisée. Le caractère polémique de ces textes est trop accentué pour en tirer comme conséquence inéluctable que le calendrier qu'ils défendent ne s'est jamais préoccupé de conjonction avec la lune (1).

Il faudrait évidemment pouvoir préciser le sens de *ḥodesh* (nouvelle lune ou mois) dans bien des passages de la Bible. Les « néoménies » jouent un grand rôle, même chez les auteurs sacerdotaux. Par exemple dans Ezéchiel **45**, 17; **46**, 1-6; II Chron. **2**, 3; **8**, 13; **23**, 31; **31**, 3; I Esd. **3**, 5; Neh. **10**, 34. Quel est dans ces passages le sens du mot *ḥodesh*? La comparaison s'impose avec la formule caractéristique des Nombres :

(1) Le document cité de 4Q prouve précisément le contraire voir plus haut, n. 2, p. 154).

« les têtes de vos mois » (Nb. **10, 10; 28, 11**), ou bien
l'expression si fréquente « le premier du mois » dans la
numérotation sacerdotale. On a vu l'importance capitale de ces premiers jours du mois — et surtout du trimestre — dans le calendrier des Jubilés. Faut-il penser
que dans le calendrier sacerdotal *hodesh* a pris simplement le sens de « premier jour » ? ou bien que s'est
toujours conservée, même pendant la période domi-
nante de ce calendrier, la coutume de célébrer des
« néoménies » qui ne coïncidaient pas avec les premiers jours des mois du calendrier de 364 jours?
Cette dernière hypothèse paraît vraisemblable. Les
fêtes de nouvelle lune étaient certainement très
enracinées en milieu sémitique. Après l'exil, le calendrier lunaire a dû être utilisé comme calendrier civil,
le calendrier sacerdotal étant employé seulement
pour les cérémonies liturgiques. On comprendrait
mieux ainsi l'évolution interne qui a dû se faire dans
la liturgie du temple vers les ive-iiie siècles. Il était
plus facile de reprendre un calendrier lunaire qui
n'avait jamais complètement cessé d'exister.

La mention de 26 classes de prêtres en *IQM* II 2
contre les 24 classes de I Chron. **24,** 7-18 avaient été
interprétées comme une opposition de calendrier
solaire à calendrier lunaire. Les 26 classes de prêtres
ne se justifient en effet que dans un calendrier solaire
(52 semaines exactement pour 364 jours; deux
semaines pour chaque classe). Mais la découverte
en 4Q d'un document récent dont M. Milik fait état
dans sa communication, montre qu'un système de
24 classes est compatible avec un calendrier solaire
de 364 jours à l'intérieur d'un cycle sexennal. On ne
peut donc, comme je l'avais pensé, arguer de ce fait
pour discerner dans le livre des Chroniques une évo-

lution interne d'un système solaire à un système
lunaire. L'œuvre du Chroniste peut donc utiliser les
noms de mois babyloniens (Cf. Esd. **6**, 15; Neh. **1**, 1;
2, 1; **6**, 15), mais rien ne permet d'y découvrir dans
l'usage liturgique des éléments contraires au calendrier sacerdotal ancien.

Au début du second siècle, le *Siracide* dont on
connaît les affinités sacerdotales témoigne du rôle
de la lune dans les fêtes juives. En Sir. **43**, 6-8 (grec)
la lune donne le signal des fêtes et marque les temps;
le passage hébreu correspondant est assez confus, mais
il paraît donner à la lune la fonction de déterminer les
mois. En Sir. **50**, 6 l'hébreu précise que la lune est en
son plein « aux jours de fête ». Étant donné les sus-
picions qui pèsent sur le texte hébreu du Siracide,
on serait heureux de savoir quelle édition pouvait en
posséder un milieu comme celui de Qumrân (1). Mais
aucun des passages du Siracide ne s'oppose à l'hypothèse d'un calendrier mitigé.

Nous ignorerons sans doute toujours dans quelle
mesure le calendrier sacerdotal ancien avait évolué au
début du second siècle. Une solution vraisemblable
consiste à penser que la célébration des fêtes à jours
fixes s'était conservée fort longtemps. En effet les
trois jours liturgiques étaient beaucoup plus attachés
à la semaine sabbatique qu'au calendrier de 364 jours.
Peut-être étaient-ils liés tout autant à l'unité de
temps de la pentécontade, mais *la stabilité de ces
jours liturgiques les rendait capables de se dégager de
ces supports et de ces encadrements momentanés.* De

---

(1) Deux fragments hébreux du Siracide ont été retrouvés
dans la grotte 2 (*R. B.* LXIII (1956) p. 54. Cet écrit ne peut
cependant entrer en rivalité avec les Jubilés dont les manuscrits sont beaucoup plus nombreux.

toute manière, dans la liturgie chrétienne, ils devaient survivre au calendrier de 364 jours. Il est donc possible qu'en gardant les fêtes au jour fixe de la semaine, on ait cherché à les rapprocher de la pleine lune. Il était facile pour la Pâque et les Tabernacles de choisir le mercredi qui précédait immédiatement la pleine lune, de façon que celle-ci tombât pendant les sept jours de la fête. Ceci suppose l'abandon du système numéral et l'adoption des mois à noms babyloniens, même dans l'usage religieux. Les passages « lunaires » du Siracide peuvent fort bien s'expliquer par cette forme intermédiaire de calendrier.

On peut alors admettre que, lorsque se produisit la scission profonde qui portait sur les jours de la semaine, certains milieux conservèrent cette forme de calendrier mitigé, avec la coutume de faire commencer le comput au mercredi. Il dut exister des variantes diverses du type de calendrier à jours fixes. Jusqu'ici Qumrân paraît très conservateur, mais les notices sur les Magarya et les « Sadducéens » du glossateur de Yefet ne rendent pas impossible qu'on trouve chez eux des adaptations lunaires, et non pas simplement le souci d'une conjonction avec la lune.

Quant au calendrier chrétien, les textes cités plus haut sur la lune pascale semblent bien prouver que la fête de Pâques a toujours été associée à une pleine lune. Réserve faite de savoir si cette lune pascale était dans un judaïsme plus ancien celle du début ou du milieu du mois, d'autres raisons portent à croire que le calendrier chrétien sort d'une forme de calendrier juif déjà mitigé (cf. p. 74).

———————— Imprimé en France ————————
TYPOGRAPHIE FIRMIN-DIDOT ET Cᵗᵉ. — MESNIL (EURE). — 3903
Dépôt légal : 4ᵉ trimestre 1957.

TABLEAU DE CONCORDANCE

	MATTHIEU	MARC	LUC	JEAN
Mardi.				
Préparation de la paque (calendrier ancien).	**26,** 17-19. Le premier jour des Azymes... ils préparèrent la Pâque.	**14,** 12-16. Le premier jour des Azymes, où l'on immolait la Pâque... ils préparèrent la Pâque.	**22,** 7-13. Vint le jour des Azymes où l'on devait immoler la Pâque. ...ils préparèrent la Pâque.	
soir (= début du mercredi) Cène.	20. Le soir venu, il se mit à table avec ses disciples.	17-18. Le soir venu, pendant qu'ils étaient à table...	14-15. Quand l'heure fut venue, il se mit à table... « J'ai désiré d'un grand désir manger cette Pâque avec vous avant de souffrir. »	**13,** 1 2. Avant la fête de Pâque (calendrier officiel)... Jésus aima les siens jusqu'au bout, et pendant le dîner...
Nuit. Arrestation.	47-56.	43-52.	47-53.	**18,** 2-11.
Jésus mené chez Anne.	57a. Ils menèrent Jésus chez le grand prêtre.	53a. Ils menèrent Jésus chez le grand prêtre.	54a. Ils le menèrent dans la maison du grand prêtre.	12-13. Ils le ligotèrent et le menèrent *d'abord* chez Anne.
	58. Pierre suivait.	54. Pierre suivait.	54b. Pierre suivait.	15. Pierre suivait.
Interrogatoire.				16-18. (Premier reniement.) 19-23. *Interrogatoire* du grand prêtre.
Reniements de Pierre.	69-75. (Triple reniement et chant du coq.)	67-72. (Triple reniement et chant du coq.)	55-60 (Triple reniement et chant du coq.)	25-27. (Dernier reniement et chant du coq.)
Jésus mené chez Caïphe.	57a. Caïphe...		61-62. Le Seigneur s'étant retourné regarda Pierre.	24. Anne le renvoya ligoté chez le grand prêtre Caïphe.
Mercredi.				
Réunion du Sanhédrin.	57b. Se réunirent scribes et anciens.	53b. Se réunissent tous les grands prêtres, anciens et scribes.	66a. Quand vint le *jour*, se réunit le conseil des anciens du peuple, grands prêtres et scribes.	
Jésus comparait devant le Sanhédrin.			66b. et ils le firent amener devant leur sanhédrin.	
Séance du Jugement. Défilé des témoins.	59-61. Ils cherchaient des faux témoins et ils n'en trouvaient pas; pourtant beaucoup s'étaient présentés. *Finalement* deux se présentèrent...	55-60. Ils cherchaient des témoignages et n'en trouvaient pas: beaucoup portaient de faux témoignages, et ils ne s'accordaient pas. Et quelques-uns se levèrent...		
Adjuration du grand prêtre.	62-66. « Es-tu le Christ? » « Qu'avons-nous encore besoin de témoins? »	61-64. « Es-tu le Christ? » « Qu'avons-nous encore besoin de témoins? »	67-71. « Si tu es le Christ, dis-le-nous »... « Qu'avons-nous encore besoin de témoins? »	
Outrages au faux messie.	67-68. « Messie, fais le prophète »...	65. « Fais le prophète. »	Cf. 63-65.	
Nuit en prison — chez Caïphe?				

	MATTHIEU	MARC	LUC	JEAN
Jeudi.				
Séance du Verdict.	**27,** 1. Le *matin* venu, tous les grands prêtres et les anciens du peuple tinrent un conseil contre Jésus afin de le *mettre à mort.*	**15,** 1a. *Dès le matin,* lorsque les grands prêtres et tout le Sanhédrin eurent délibéré avec les anciens et les scribes...		
Jésus mené devant Pilate.	2. Après l'avoir fait ligoter, ils l'emmenèrent et le livrèrent au gouverneur Pilate.	1b. Après l'avoir fait ligoter, ils l'emmenèrent et le livrèrent à Pilate.	**23,** 1. Toute leur assemblée se leva et ils le menèrent à Pilate.	**18,** 28. Ils menèrent donc Jésus de chez Caïphe au prétoire. C'était au *matin.* Mais eux-mêmes n'entrèrent pas dans le prétoire afin de ne pas se souiller et de *pouvoir manger la Pâque.* 29a. Pilate sortit donc au-devant d'eux.
Accusations devant le gouverneur	12. Comme il était accusé par les grands prêtres et les anciens.	3. Les grands prêtres portaient contre lui nombre d'accusations.	2. Ils se mirent alors à l'accuser : cet homme soulève notre nation...	29b-32. « Quelle accusation portez-vous contre cet homme? »...
Pilate interroge Jésus.	11. « Es-tu le roi des Juifs? »	2. « Es-tu le roi des Juifs? »	3. « Es-tu le roi des Juifs? » ...Je ne trouve rien de condamnable en cet homme...	33-38. « Es-tu le roi des Juifs?» ...Je ne trouve en lui aucune cause de condamnation...
Renvoi devant Hérode.			6-12. Hérode l'interrogeait à grand renfort de paroles. Grands prêtres et scribes l'accusaient violemment. Hérode le tourna en dérision.	
Dispersion des grands prêtres.	Cf. 3-10. Remords de Judas.			
Campagne auprès du peuple.	20. Ils avaient persuadé à la foule...	11. Les grands prêtres avaient excité la foule.		
Nuit en prison chez les Romains.	19. (Angoisse de la femme de Pilate.)			
Vendredi.				
Grand rassemblement devant le prétoire.	17a. Pilate les *rassembla.*	8. La foule étant montée elle commença de réclamer...	13. Pilate *convoqua* les grands prêtres, les chefs et le peuple.	
Deuxième session de Pilate.	17b. (Jésus ou Barabbas?)	9. « Vous relâcherai-je le roi des Juifs? »	18-19. « Relâche-nous Barabbas! »	39-40. Ils réclamaient Barabbas.
Couronnement d'épines.	27-31.	16-20.	Cf. 16. 22. Après l'avoir fait châtier.	**19,** 1-5. Pilate le fit fouetter. Couronnement d'épines.
Hésitations du gouverneur.	21-25. Ayant repris la parole le gouverneur leur dit...	12-14. Une nouvelle fois Pilate reprit...	20. Une nouvelle fois Pilate leur adressa la parole... 22. Une troisième fois il leur dit...	4. Une nouvelle fois Pilate sortit. 12. Pilate cherchait à le délivrer.
Condamnation et flagellation.	26.	15.	24-25.	14-16. C'était la *veille* de la Pâque, environ la 6e (?) heure.
Montée au calvaire.	32-34.	21-22.	26-32.	17.
Crucifixion.	35-44.	25-32. C'était la *3e heure.*	33-43.	18-29.
Ténèbres.	45. De la 6e à la 9e heure.	33. De la 6e à la 9e heure.	44. De la 6e à la 9e heure.	
Mort de Jésus.	46-50. 9e heure.	34-37. 9e heure.	46.	30.

CALENDRIER DES JUBILÉS

TABLEAU TRIMESTRIEL

I. IV. VII. X.					II. V. VIII. XI.					III. VI. IX. XII.						
1	8	15	22	29		6	13	20	27		4	11	18	25	:	MERCREDI.
2	9	16	23	30		7	14	21	28		5	12	19	26	:	JEUDI.
3	10	17	24		1	8	15	22	29		6	13	20	27	:	VENDREDI.
4	11	18	25		2	9	16	23	30		7	14	21	28	:	SAMEDI.
5	12	19	26		3	10	17	24		1	8	15	22	29	:	DIMANCHE.
6	13	20	27		4	11	18	25		2	9	16	23	30	:	LUNDI.
7	14	21	28		5	12	19	26		3	10	17	24	31	:	MARDI.

Les mois sont en chiffres romains.

Les jours de la semaine étaient toujours indiqués par leurs numéros : 1er jour (dimanche), 2e jour (lundi), etc...

Imprimé en France